中华人民共和国法律释义丛书
全国人民代表大会常务委员会法制工作委员会 编

中华人民共和国
反垄断法释义

主 编：安 建（全国人大常委会法制工作委员会副主任）
副主编：黄建初（全国人大常委会法制工作委员会经济法室主任）
撰稿人：袁 杰 王 清 李建国 赵 雷
王 翔 刘新林 陈扬跃 胡 健

法律出版社

图书在版编目(CIP)数据

中华人民共和国反垄断法释义 / 全国人大常委会法制工作委员会编. -- 北京 : 法律出版社, 2007.10(2018.11 重印)
(中华人民共和国法律释义丛书)
ISBN 978-7-5036-7762-5

Ⅰ. ①中… Ⅱ. ①全… Ⅲ. ①反托拉斯法—法律解释—中国 Ⅳ. ①D922.295

中国版本图书馆 CIP 数据核字(2007)第 150666 号

中华人民共和国反垄断法释义
ZHONGHUA RENMIN GONGHEGUO FANLONGDUANFA SHIYI

全国人大常委会法制工作委员会 编

责任编辑 麦 锐
装帧设计 李 瞻

出版 法律出版社
总发行 中国法律图书有限公司
经销 新华书店
印刷 北京玺诚印务有限公司
责任印制 吕亚莉

编辑统筹 法规出版分社
开本 850 毫米×1168 毫米 1/32
印张 8
字数 160 千
版本 2007 年 10 月第 1 版
印次 2018 年 11 月第 2 次印刷

法律出版社/北京市丰台区莲花池西里 7 号(100073)
网址/www.lawpress.com.cn
投稿邮箱/info@lawpress.com.cn
举报维权邮箱/jbwq@lawpress.com.cn
销售热线/010-83938336
咨询电话/010-63939796

中国法律图书有限公司/北京市丰台区莲花池西里 7 号(100073)
全国各地中法图分、子公司销售电话:
统一销售客服/400-660-6393
第一法律书店/010-83938334/8335 西安分公司/029-85330678 重庆分公司/023-67453036
上海分公司/021-62071639/1636 深圳分公司/0755-83072995

书号:ISBN 978-7-5036-7762-5 **定价**:36.00 元
(如有缺页或倒装,中国法律图书有限公司负责退换)

总　　序

人类文明的历史上，还没有哪一个时代像中国的改革开放40年一样，在历史长河中掀起如此巨大的浪花——它不仅深刻改变了一个国家的面貌与精神气质、使数亿人摆脱贫困，还极大地改变了世界格局。

1978，在那一年的年底，中共中央一次全体会议——十一届三中全会扭转了中国的前进方向，开辟了一个时代。回首过去，我们发现，一些观念从那时开始在中国出现，一些声音从那时开始逐渐响起，一些人物开始登上历史舞台。从这一年开始，随着“加强社会主义民主，健全社会主义法制”历史性任务的提出，“法制”两个字进入了人们的视野；政法机关开始恢复重建；法律院系开始蓬勃发展。一部部法律从庙堂走进了人们的生活，一次次裁决推动着国家前进的脚步。从“有法可依、有法必依、执法必严、违法必究”到“科学立法、严格执法、公正司法、全民守法”；从“法制”到“法治”；从法治观念的形成到“依法治国，建设社会主义法治国家”写进宪法，再到“法治国家、法治政府、法治社会一体建设”，人们对法治的认识步步深入，中国的改革不断向前推进，结出丰硕的果实。在中国共产党的带领下，这个励精图治的古老国度，再一次创造了改革的奇迹。

40年发生了无数故事,40年产生了许多事物。为了纪念这难忘的40年,本社组织编辑出版了一批“纪念改革开放40周年”主题图书。这些图书,将40年来颁布的重要法律及其释义甄选汇集,将法学领域有代表性的学术论文萃取精编,把有关政法机关的重建、法律院系的重生与发展进行展现,将一批被时代改变命运的人物再次唤起。我们希望从法律与法律人的视角,重新审视过去的40年,认真体会这不平凡的40年。

如江河东下,逝者如斯。岁月总会过去,人事总有代谢,但一个不平凡的时代留下的深刻痕迹,永远不会磨灭。“不忘初心,牢记使命”,习近平总书记在党的十九大报告中向全党发出的号召,使我们有理由期待,下一个40年,中国将更加惊艳!

法律出版社编辑委员会

2018年10月

出版前言

《中华人民共和国法律释义丛书》是由全国人大常委会法制工作委员会组织编辑的一套系列丛书。

该套丛书由一系列法律释义组成。邀请有关专家、学者和部分参与立法的同志编著。该丛书坚持以准确地反映立法宗旨和法律条款内容为最基本要求,在每部法律释义中努力做到观点的权威性和内容解释的准确性。

我们相信,该套丛书的陆续出版,将会给广大读者进一步学好法律提供有益的帮助。

重 印 说 明

本次重印,是为改革开放40周年制作的特别纪念版,为了保持内容原貌,未对正文和附录作实质修改。个别法条内容有修订或修正的,以脚注形式作了标注。特此说明。

2018年10月

前　言

十届全国人大常委会第二十九次会议通过了《中华人民共和国反垄断法》。反垄断法的颁布施行,对于预防和制止垄断行为,保护市场公平竞争,提高经济运行效率,维护消费者利益和社会公共利益,促进社会主义市场经济健康发展,有着重要意义。

为配合反垄断法的学习、宣传,帮助读者理解这部重要法律各条规定的内容,全国人大常委会法制工作委员会参与反垄断法立法工作的同志编写了本书,供学习参考。

目　录

第一部分　绪　论

第二部分　释　义

第三部分　附　　录

第一部分　绪　　论

完善社会主义市场经济体制的重要法律

安　建

《中华人民共和国反垄断法》于2007年8月30日由十届全国人大常委会第二十九次会议审议通过,国家主席胡锦涛同日签发主席令予以公布,将于2008年8月1日起施行。这部重要法律的制定和施行,是我国社会主义市场经济体制和中国特色社会主义法律体系日趋完善的重要标志。

一、反垄断法的制定

竞争是市场经济最基本的特征,市场经济本质上是竞争性的经济。在市场调节能够发挥作用的领域,公平的竞争对于实现资源优化配置,促使经营者创新,增进消费者福利,具有十分重要的作用。正因为如此,实行市场经济的国家都高度重视制定和实施以保护公平竞争、禁止垄断和不正当竞争行为为宗旨的竞争法律制度，以保护正常的市场竞争格局，规范经营者的市场竞争行为。竞争法律制度在市场经济国家的法律体系中占有十分重要的地位。

我国实行社会主义市场经济。为了在国家宏观调控指导下，充分发挥市场在资源配置中的基础性作用，我们必须建立健全与我国社会主义市场经济的性质和发展阶段相适应的竞争法律制度，为社会主义市场经济体制的不断完善提供相适应的制度保障。在 1992 年 10 月党的十四大提出“建立社会主义市场经济体制”的改革目标后不久，全国人大常委会就于 1993 年 9 月通过了《反不正当竞争法》。同时，有关方面也开始了我国反垄断法的研究起草工作。八届、九届全国人大常委会都把制定反垄断法列入了立法规划，有关方面为此做了大量工作。十届全国人大常委会继续将制定反垄断法列入本届立法规划。2004 年 2 月，商务部将与国家工商总局共同起草的《中华人民共和国反垄断法（送审稿）》报送国务院。国务院法制办公室组织有关部门、专家在进一步调查研究的基础上，对送审稿进行了反复研究、论证和修改，形成了反垄断法草案，报请国务院常务会议讨论通过。2006 年 6 月 16 日，温家宝总理签署议案，将草案提请全国人大常委会审议。在分别于 2006 年 6 月和 2007 年 6 月、8 月召开的十届全国人大常委会第二十二次、第二十八次和第二十九次会议上，常委会组成人员对草案进行了三次审议。全国人大法律委员会和全国人大常委会法制工作委员会将草案印发各地、各有关部门和研究机构征求意见，多次召开座谈会，并到一些地方调研，广泛听取地方、部门、行业协会、企业和专家学者的意见，根据全国人大常委会组成人员的审议意见和各有关方面的意见，对草案进行了反复研究修改。在2007年8月30日举行的十届全国人大常委会第二十九次会议的全体会议上，出席会议的153位常委会组成人员，以150票赞成的表决结果，高票通过了这部重要法律。吴邦国委员长在这次会议上发表讲话指出："会议通过的反垄断法坚持从我国国情和实际出发，并注意研究借鉴国际反垄断的有益经验，确立了与社会主义市场经济相符合、与我国经济社会发展阶段相适应的预防和制止垄断、保护和促进公平竞争的法律制度。"

二、反垄断法的主要内容

制定我国的反垄断法，必须从我国国情出发；同时，也要研究借鉴国外反垄断制度中一些通行规则，并为我所用，以构建与我国社会主义市场经济的性质相符合，与我国现阶段经济发展特点相适应，能够对社会主义市场经济的健康发展起保障和促进作用的反垄断法律制度。

（一）关于经济活动中的垄断行为

国外的反垄断立法，如果从1890年美国的《谢尔曼法》算起，已有一百一十多年的历史，逐渐形成了以禁止垄断协议、禁止滥用市场支配地位和控制经营者集中（即通常所说的反垄断法的"三大支柱"）为基本内容的比较成熟的反垄断法律制度。这三项反垄断法律制度，作为市场经济条件下保护竞争的共同规则，是可以为我所用的。对此，我国反垄断法第三条明确规定，本法规定的垄断行为包括：经营者达成垄断协议，经营者滥用市场支配地位，以及具有或者可能具有排除、限制竞争效果的经营者集中。

（二）关于垄断协议

按照反垄断法第十三条第二款的规定，垄断协议是指经营者之间达成或者采取的旨在排除、限制竞争的协议、决定或者其他协同行为，即一些国家所称的“卡特尔”。竞争可以促进技术进步、效率提高、成本降低、服务改善，从而使消费者获益。但激烈的市场竞争又给经营者造成巨大压力，一些经营者为了消除、减轻市场竞争的压力，便通过相互协商达成协议，或采取共同行动，以联合限价、联合提价等方式操控市场价格，或者联合限制商品的生产数量或者销售数量，或者在彼此间分割销售市场或者原材料采购市场，或者对其他以较低价格销售商品的经营者采取联合抵制与其进行交易等手段，以达到排除或者限制竞争的目的。经营者之间的垄断协议，窒息了竞争带来的市场活力，阻碍了经济发展和消费者福利的提高，成为各国反垄断法予以禁止的主要对象。

我国实行社会主义市场经济的时间不长，但各种形式的价格联盟、联合限产协议、生产企业对以较低价格销售产品的经销企业联合抵制供货（如一些地方发生的药品生产企业对“平价”药房联合抵制供货）等达成和实施垄断协议的行为已多有发生，直接影响社会主义市场经济的健康发展，损害消费者利益，应当依法予以禁止。我国反垄断法第十三条、第十四条分别对具有竞争关系的经营者之间的横向垄断协议和处于产业链上下游环节的不具有直接竞争关系的经营者之间的纵向垄断协议，做出了禁止性规定。同时，经济发展的实践表明，对市场竞争的正面作用也不能无限夸大，将其绝对化。在经济生活中，经营者达成的某些协议，虽然具有限制竞争的后果，但整体上有利于技术进步、经济发展和公共利益的，反垄断法不应予以禁止。各国反垄断法都对可给予反垄断豁免的限制竞争协议做了规定。我国垄断法根据我国实际情况，也在第十五条对应给予反垄断豁免、不予禁止的限制竞争协议做了列举规定。

（三）关于滥用市场支配地位

反垄断法第十七条第二款规定："本法所称市场支配地位，是指经营者在相关市场内具有能够控制商品价格、数量或者其他交易条件，或者能够阻碍、影响其他经营者进入相关市场能力的市场地位。"

经营者具有的市场支配地位，可以是通过市场竞争取得的，也可以是因为某些行业（如电力电网、铁路路网、城市基础设施管网）所具有的自然垄断特性形成的，或者是因为国家对某些特殊行业或领域实行的特殊市场准入政策形成的。对经营者合法取得市场支配地位，反垄断法不予禁止，也不应禁止。从我国反垄断法的规定看，这一点是明确的。其他许多国家的反垄断法也采取这一态度。但是，如果具有市场支配地位的经营者滥用其市场支配地位，实施垄断价格、掠夺性定价、拒绝交易、强制交易、搭售、对条件相同的交易相对人实行差别待遇等排除、限制竞争，损害消费者和其他经营者合法权益的行为的，则应受到严格的禁止。我国反垄断法第十七条对此做了明确规定。

我国实行社会主义市场经济。国有经济在关系国家安全和国民经济命脉的重点行业和关键领域中占有控制地位，这对我国经济发展和政治稳定十分重要。党的十六大报告明确指出："国有经济控制国民经济命脉，对于发挥社会主义制度的优越性，增强我国经济实力、国防实力和民族凝聚力，具有关键作用。"同时，按照中央提出的"推进垄断行业改革，积极引入竞争机制"和十届全国人大四次会议批准的"十一五"规划提出的"深化石油、电信、民航、邮政、烟草、盐业和市政公用事业改革，推进国有资产重组，形成竞争性市场格局"的要求，在国有经济占支配地位的行业中，也要引导、推进不同经营者之间开展竞争。政府对这些行业的经营者应当加强监管，依法禁止个别经营者滥用支配地位，牟取不正当利益，损害消费者权益。为此，我国反垄断法在"总则"中专门规定："国有经济占控制地位的关系国民经济命脉和国家安全的行业以及依法实行专营专卖的行业，国家对其经营者的合法经营活动予以保护，并对经营者的经营行为及其商品和服务的价格依法实施监管和调控，维护消费者利益，促进技术进步。"并规定，这些行业的"经营者应当依法经营，诚实守信，严格自律，接受社会公众的监督，不得利用其控制地位或者专营专卖地位损害消费者利益"。

（四）关于经营者集中

反垄断法所称的经营者集中，包括经营者之间的吸收合并、新设合并，也包括经营者通过取得其他经营者的股份、资产，或者通过合同等方式，取得对其他经营者的控制权或能够对其他经营者施加决定性影响的情形。经营者集中是经济活动中经常发生的现象，其结果具有两面性：一方面，经营者通过集中，有利于形成规模经济，提高竞争力；另一方面，集中后的经营者又可能产生或者加强市场支配地位，对市场竞争产生不利影响。因此，许多国家的反垄断法都把对经营者集中实行必要的控制作为其基本制度之一。主要做法是：要求达到一定规模（如经营额、市场份额达到规定标准）的经营者实施集中，须向反垄断执法机构申报，由反垄断执法机关根据该项集中对竞争可能产生的影响进行审查，做出是否允许经营者集中的决定。我国反垄断法根据我国的实际情况，并研究借鉴了有关国家反垄断法控制经营者集中的规定，确立了我国对经营者集中的反垄断审查制度。依照反垄断法第四章的规定，经营者集中达到国务院规定的申报标准的，应当事先向国务院反垄断执法机构申报，由国务院反垄断执法机构依法进行审查。未经申报的，或者国务院反垄断执法机构经审查后决定禁止经营者集中的，不得实施集中。

执行反垄断法关于控制经营集中的规定，应当充分考虑我国经济发展的阶段性特点，与国家的产业政策和宏观调控目标相协调。现阶段我国经济发展中存在的主要问题之一，是产业集中度不高，许多企业达不到规模经济的要求，与国外大企业相比更有很大差距，缺乏国际竞争力。党的十六大报告和十六届三中全会的决定都明确提出，要“发展具有国际竞争力的大公司大企业集团”。反垄断法在“总则”中也明确规定：“经营者可以通过公平竞争，自愿联合，依法实施集中，扩大经营规模，提高市场竞争能力。”在对经营者集中进行反垄断审查时，应当注意准确理解、正确执行反垄断法的规定，既要防止因过度集中形成垄断，又要有利于国内企业做强做大、发展规模经济，提高产业集中度，增加企业竞争力。为此，反垄断法第二十八条规定，国务院反垄断执法机构对具有或者可能具有排除、限制竞争效果的经营者集中，应当予以禁止；但是，如果经营者能够证明该集中对竞争产生的有利影响明显大于不利影响或者符合社会公共利益的，国务院反垄断执法机构可以对该项经营者集中做出不予禁止的决定。

国家对经营者集中实施的审查，除了反垄断审查外，对外资并购国内企业，可能影响国家安全的，还应当按照国家有关规定进行国家安全审查。这也是不少国家所采取的做法。我国也已初步建立并正在进一步完善对外资并购国内企业的国家安全审查制度。国务院制定的《指导外商投资方向规定》中明确规定，禁止外商投资“危害国家安全或者损害社会公共利益”的项目以及“运用我国特有工艺或者技术生产产品”的项目。商务部等六部门2006年8月联合发布的《关于外国投资者并购境内企业的规定》中明确规定：“外国投资者并购境内企业取得实际控制权，涉及重点行业，可能影响国家经济安全的，或者并购导致拥有驰名商标或中华老字号的境内企业实际控制权转移的”，须向商务部申报审查。为使反垄断法的相关规定与国家对外资并购实行国家安全审查的规定相衔接，反垄断法第三十一条规定：“对外资并购境内企业或者以其他方式参与经营者集中，涉及国家安全的，除依照本法规定进行经营者集中审查外，还应当按照国家有关规定进行国家安全审查。”

（五）关于禁止滥用行政权力排除、限制竞争

在反垄断法草案起草过程中，对本法是否要对行政机关滥用行政权力排除、限制竞争问题，即是否要对所谓行政性垄断问题做出规定，一直有不同意见。国务院在关于草案的说明中提到，不赞成在本法中对此做出规定的主要理由是：行政性垄断行为属于行政权力的不当使用，这主要应通过进一步深化经济体制和行政管理体制改革，转变政府职能，加强对行政权力运用的规范和监督，包括采取党纪、政纪和必要的法律手段在内的综合性措施来解决，而不是主要依靠反垄断法所能解决的问题。赞成在本法中对此做出规定的主要理由是：现实中利用行政权力限制竞争问题较为普遍，妨碍了全国统一、公平的市场体系的建立，社会各界普遍关注。反垄断法应当对禁止行政性限制竞争做出规定，这是现阶段我国国情所决定的。草案说明中说，经“认真分析、研究后认为，两方面的意见都有一定道理”。“从我国实际出发，在反垄断法这一保护竞争的专门性、基础性法律中对禁止行政性限制竞争行为作出明确、具体的规定，既表明国家对行政性限制竞争的重视和坚决反对的态度，又能够进一步防止和制止行政性限制

竞争的行为。”据此，草案“专设一章对禁止行政性限制竞争作了具体规定”。全国人大法律委员会和全国人大常委会法制工作委员会经研究认为，虽然滥用行政权力排除、限制竞争的行为，不同于经营者在市场经济活动中实施的经济垄断行为；本法第三条所规定的垄断行为，也不包括行政性排除、限制竞争的行为。但从我国现实情况看，行政性限制竞争问题确实存在，影响全国统一市场的建立，社会各界对此普遍关注。在反垄断法中对此做出适当的规定，是有必要的。全国人大常委会经过审议，基本保留了草案这一章的规定。这些规定，主要是重申了反不正当竞争法、产品质量法和国务院《关于禁止在市场经济活动中实行地区封锁的规定》等法律、行政法规的规定。

此外，反垄断法还对反垄断执法机构、对涉嫌垄断行为的调查和违反本法规定的法律责任等做了规定。

第二部分　释　　义

第一章　总　　则

第一条　为了预防和制止垄断行为，保护市场公平竞争，提高经济运行效率，维护消费者利益和社会公共利益，促进社会主义市场经济健康发展，制定本法。

【释义】　本条是对反垄断法立法目的的规定。

制定反垄断法是为了预防和制止垄断行为。本法所称垄断行为，包括经营者达成垄断协议，滥用市场支配地位，以及具有或者可能具有排除、限制竞争效果的经营者集中。反垄断法通过相关的制度安排，明确构成垄断行为的界限，设立相应的禁止性规范和监督检查措施，规定实施垄断行为所应承担的法律后果等，以达到预防和制止垄断行为的目的。

制定反垄断法是为了保护市场竞争机制，维持正常的竞争环境，在这一环境中，在价格引导下，在优胜劣汰机制的作用下，使资源得到优化配置，以提高整体经济效益，提高社会生产力。

制定反垄断法要维护消费者合法权益和社会公共利益。反垄断法通过禁止垄断行为，保护市场竞争，促使经营者在竞争机制的作用下，努力降低生产经营成本，提高产品质量，这显然有利于增进消费者福利，维护消费者的整体利益。同时，反垄断法也将维护社会公共利益作为立法的宗旨之一，兼顾竞争政策和产业政策以及其他经济政策的统一，在若干具体规定上体现了对社会公共利益的保护。

促进社会主义市场经济健康发展。建立和完善社会主义市场经济体制，就是要在坚持以公有制为主体，多种所有制经济共同发展的基本经济制度的基础上，在国家宏观调控指导下，充分发挥市场在资源配置中的基础性作用。市场配置资源的作用是通过竞争来实现的。反垄断法保护市场竞争的规定，为发挥市场配置资源的基础性作用提供了制度保障，对促进我国社会主义市场经济的健康发展具有重要作用。

反垄断法作为一部竞争法，与我国已有的反不正当竞争法和消费者权益保护法既有联系又有区别。其区别主要是：(1)与反不正当竞争法相比，反垄断法的目的是维护市场竞争机制而不是直接地保护特定的竞争者。它通过禁止经营者实施排除、限制竞争的行为，以维护市场的竞争格局，解决市场中有没有竞争的问题。而反不正当竞争法则主要解决不当竞争的问题。在反垄断法出台以前，我国的反不正当竞争法根据中国的实际，也规定了若干反对排除、限制竞争的条款，对维护我国的市场竞争机制，保护市场竞争，起到了重要作用。(2)与消费者权益保护法相比，反垄断法并不排除对消费者的直接和具体的保护，但其目的侧重于通过维护市场竞争机制，提高经济效益，使消费者整体获益。因此，本法对消费者的保护着眼于竞争行为是否损害了保障消费者福利的竞争机制，而不以某一行为是否为消费者满意作为判断标准，也不刻意保护某一具体消费者的利益。

第二条　中华人民共和国境内经济活动中的垄断行为，适用本法；中华人民共和国境外的垄断行为，对境内市场竞争产生排除、限制影响的，适用本法。

【释义】　本条是对反垄断法适用范围的规定。

反垄断法主要适用于我国境内经济活动中的垄断行为，包括经营者达成垄断协议，经营者滥用市场支配地位，以及具有或者可能具有排除、限制竞争效果的经营者集中。作为规制对象的经营者，是指从事商品生产经营或者提供服务的自然人、法人和其他组织。

反垄断法既适用于在中国境内发生的垄断行为，也适用于在中国境外发生的，对国内市场竞争产生排除、限制影响的垄断行为。随着经济全球化和我国对外开放的进一步扩大，我国经济与国际经济日益融合，在这种情况下，在我国境外发生的经营者达成和实施垄断协议的行为，滥用市场支配地位的行为，以及企业并购的行为等，都有可能对我国境内的市场竞争产生影响。为了预防和制止境外发生的垄断行为对国内的市场竞争产生不利影响，反垄断法借鉴国际上其他国家的经验，规定了域外效力。

反垄断法第五章专章规定了禁止行政机关滥用行政权力,排除、限制竞争的行为。一些行政机关滥用行政权力,从事地方封锁等行为,排除、限制了正常的市场竞争,阻碍了商品的自由流通,不利于在全国形成统一、有序的市场,应当坚决制止。考虑到行政机关滥用行政权力,排除、限制竞争的行为与本法主要规范的经济性垄断行为,在行为主体、表现形式和处理方法上差别较大,难以采用与经济性垄断行为相同的规则加以规范,因此,本法在总则第八条专门规定:行政机关和法律、法规授权的具有管理公共事务的组织不得滥用行政权力,排除、限制竞争;并通过第五章的具体规定和法律责任一章中的有关规定,对行政机关滥用行政权力,排除、限制竞争行为加以规范。

第三条　本法规定的垄断行为包括:

(一)经营者达成垄断协议;

(二)经营者滥用市场支配地位;

(三)具有或者可能具有排除、限制竞争效果的经营者集中。

【释义】　本条是对垄断行为的规定。

反垄断法所指的垄断行为包括:经营者达成垄断协议的行为,经营者滥用市场支配地位的行为,以及具有或者可能具有排除、限制竞争效果的经营者集中。

垄断协议,又称卡特尔,是指两个以上经营者相互间达成的排除、限制竞争的协议、决定或者其他协同行为。垄断协议包括横向垄断协议和纵向垄断协议。横向垄断协议是指具有竞争关系的经营者之间达成的排除限制竞争的协议，主要包括：(1)固定或者变更商品价格；(2)限制商品的生产数量或者销售数量；(3)分割销售市场或者原材料采购市场；(4)限制购买新技术、新设备或者限制开发新技术、新产品；(5)联合抵制交易。纵向垄断协议是指经营者与交易相对人（一般不具有竞争关系）之间达成的排除限制竞争的协议，主要包括固定向第三人转售商品的价格协议和限定向第三人转售商品的最低价格协议。垄断协议不仅包括书面形式的协议、决定，也包括口头形式的协议、决定；同时，还包括既没有书面协议，也没有口头协议，但采取了步调一致的排除、限制竞争的行为。确定一个协议是否构成垄断协议，应以其是否排除和限制了竞争为衡量标准。

经营者滥用市场支配地位，是指具有市场支配地位的经营者，滥用其支配地位，从事排除、限制竞争的市场行为。它主要包括：(1)以不公平的高价销售商品或者以不公平的低价购买商品；(2)没有正当理由，以低于成本的价格销售商品；(3)没有正当理由，拒绝与交易相对人进行交易；(4)没有正当理由，限定交易相对人只能与其进行交易或者只能与其指定的经营者进行交易；(5)没有正当理由搭售商品，或者在交易时附加其他不合理的交易条件；(6)没有正当理由，对条件相同的交易相对人在交易价格等交易条件上实行差别待遇。确定上述行为是否为滥用市场支配地位行为，应采取合理分析的原则。为便于识别滥用市场支配地位的行为，反垄断法还对市场支配地位的定义及认定市场支配地位应依据的因素做了规定。

具有或者可能具有排除、限制竞争效果的经营者集中，反垄断法所称的经营者集中主要是指一个经营者通过特定的行为取得对另一个经营者的全部或部分控制权。根据本法的规定，经营者集中包括三种情形：（1）经营者合并；（2）经营者通过取得股权或者资产的方式获得对其他经营者的控制权；（3）经营者通过合同等方式取得对其他经营者的控制权或者能够对其他经营者施加决定性影响。经营者集中具有有利于竞争和可能影响竞争的双重效果。一方面，经营者集中是形成规模经济，提高市场竞争力的重要手段；另一方面，过度的集中又会产生或加强市场支配地位，限制竞争，损害效率。反垄断法规定经营者集中制度的目的，就是通过对集中的控制，防止出现过度集中的市场力量，避免导致排除、限制竞争的结果。为此，我国反垄断法借鉴国际上多数国家的做法，规定了经营者集中的事前申报制度，除将申报标准授权国务院做出规定外，对审查标准、审查应考虑的因素及审查程序做了规定。

第四条　国家制定和实施与社会主义市场经济相适应的竞争规则，完善宏观调控，健全统一、开放、竞争、有序的市场体系。

【释义】　本条是关于反垄断法的一项基本原则的规定。

我国实行以公有制为主体、多种所有制经济共同发展为基本经济制度的社会主义市场经济。制定反垄断法，既要研究借鉴其他国家反垄断制度的有益经验，更要从我国国情出发，不能简单照搬西方国家的反垄断制度。我国的竞争规则必须与社会主义市场经济的性质和发展要求相符合，与我国经济发展的阶段性特点相适应。我们必须按照建立统一、开放、竞争、有序的现代市场体系要求，坚决反对同建立和完善社会主义市场经济体制的改革目标相悖的市场垄断行为，维护正常的市场竞争秩序；同时，要在国家宏观调控的指导下，统筹协调反垄断与实施国家产业政策、就业政策等各项经济政策的关系，促进我国社会主义市场经济的健康发展。

第五条　经营者可以通过公平竞争、自愿联合，依法实施集中，扩大经营规模，提高市场竞争能力。

【释义】　本条是对经营者集中的原则性规定。

反垄断法意义上的经营者集中，是指为了达到特定的经济目的，通过一定方式和手段而形成的经营者之间的资产、人员等因素的融合。在一些国家和有关国际组织的反垄断立法中，经营者集中又被称为经营者“合并”、“并购”或者“结合”等。本法对经营者集中没有做定义性的规定，只是对其形式进行了列举。按照本法第二十条的规定，经营者集中包括下列三种情形：(1)经营者合并；(2)经营者通过取得股权或者资产的方式获得对其他经营者的控制权；(3)经营者通过合同等方式取得对其他经营者的控制权或者能够对其他经营者施加决定性影响。

集中是经营者扩大自身规模，提高竞争能力，以更好地参与市场竞争的一种重要手段。集中可以为经营者带来好处，如实现规模经济，降低单位产品的成本，节约交易费用，提高生产效率，实施多样化生产而降低市场风险。但是，经营者集中也可能减少甚至消灭市场上的竞争者，产生或者加强经营者的市场支配地位，从而对市场的有效竞争造成威胁。正因为经营者集中可能对市场竞争产生不利后果，对于经营者集中的控制，就成为反垄断法的一项重要任务，对于具有或者可能具有排除、限制竞争后果的经营者集中，反垄断法明确禁止。

经营者集中对市场竞争的影响，往往是长远的、潜在的，对经营者集中实施控制时需要考虑的因素很多。反垄断法需要根据本国经济的发展阶段、发展情况，本国企业的实际情况、市场竞争情况等因素，决定如何对经营者集中实施控制以及控制到什么程度。从国外的立法例看，不少国家的反垄断立法对经营者集中的规范，一般都是依据立法时本国的实际情况做出的，有一个发展的过程。例如，德国在 1955 年制定反垄断法时，其草案中原本有控制经营者集中的内容，但由于联邦议会的反对，在 1957 年颁布的德国《反对限制竞争法》中没有规定这一内容。直到 1973 年德国对《反对限制竞争法》进行第二次修订时，才将控制经营者集中的规定纳入法律。又比如欧盟，其对垄断行为实施管制的依据是 1957 年制定的《欧共体条约》，但在《欧共体条约》中并没有控制经营者集中的内容，条约的第八十一条和第八十二条仅对垄断协议和滥用市场支配地位进行了规定。1989 年,欧共体理事会通过的《关于控制企业合并的第 4064/89 号条例》,才在欧共体范围内确立控制经营者集中的制度。

我国的反垄断法在对经营者集中做出规定时,也要与我国经济发展的阶段性特点相适应。我国现阶段经济发展中存在的一个主要问题是,产业集中度不高,许多企业达不到规模经济的要求,与国外大企业相比更有很大差距,缺乏国际竞争力。因此,制定反垄断法,应从我国现阶段经济发展的实际情况出发,既要防止经营者过度集中形成垄断,又要有利于国内企业通过依法兼并做大做强、发展规模经济,提高产业集中度,增强竞争能力。本条正是依据上述原则,对经营者集中做了原则性的规定。

根据本条规定,经营者实施集中的,应遵循以下原则:

1. 经营者可以通过公平竞争、自愿联合,实施集中。根据我国当前的情况,经营者集中在一定程度上是有利于经济发展的,可以改善我国国内企业规模过小的情况,提高企业的生产效率和市场竞争力。特别是在经济全球化的条件下,鼓励国内企业通过经营者集中做大做强,提高国际竞争力,更有重要意义。因此,本条明确规定,经营者可以依法自愿实施集中。

2. 经营者集中应当依法进行。首先,经营者集中应当符合本法的规定。本法第四章以专章的形式对经营者集中进行了规定:经营者集中达到国务院规定的申报标准的,应当按照本法规定的程序事先向国务院反垄断执法机构申报,未申报的不得实施集中；经营者集中具有或者可能具有排除、限制竞争效果的，国务院反垄断执法机构应当做出禁止经营者集中的决定；国务院反垄断执法机构对不予禁止的经营者集中，可以决定附加减少集中对竞争产生不利影响的限制性条件。对本法关于规范经营者集中的规定，经营者在实施集中时，应当严格遵守。其次，经营者集中还要符合其他有关法律、法规的规定。如以公司合并的形式实施集中的，应当符合公司法关于公司合并的规定。又比如，有的行业监管法律要求特定行业的经营者的重大事项变更应当经过审批，如证券法第一百二十九条规定，证券公司设立、收购或者撤销分支机构，变更业务范围或者注册资本，变更持有百分之五以上股权的股东、实际控制人，变更公司章程中的重要条款，合并、分立、变更公司形式、停业、解散、破产，必须经国务院证券监督管理机构批准。证券公司在实施集中时，应依照证券法的上述规定履行审批手续。其他有关法律、法规对集中所做的相关规定，经营者在实施集中时也都要严格遵守。

第六条　具有市场支配地位的经营者，不得滥用市场支配地位，排除、限制竞争。

【释义】　本条是对具有市场支配地位的经营者的原则性规定。

市场支配地位，是对具有控制市场能力的经营者状态的描述。按照本法第十七条的规定，市场支配地位是指经营者在相关的市场内具有能够控制商品价格、数量或者其他交易条件，或者能够阻碍、影响其他经营者进入相关市场能力的市场地位。

从经济效果上看，市场支配地位的产生在一定程度上是有利于经济发展的：（1）市场支配地位的产生，能够发挥生产的规模经济效果。在经济资源有限的前提下，市场支配地位所产生的集聚效应，能集中使用各种资源，减少成本，通过规模经济提高生产效率。（2）市场支配地位的产生，可以增强经营者的经济实力，使经营者拥有更加强大的研发能力，促进科技创新活动的发展，带动相关行业技术的革新，推动社会的科技进步。

但是，市场支配地位的产生也会影响市场竞争，可能给经济发展带来不利影响：（1）具有市场支配地位的经营者，如果滥用其所具有的控制市场的能力，实施排除、限制竞争的行为，将严重扭曲市场的竞争机制，减少甚至消灭竞争，抑制经济的发展；（2）具有市场支配地位的经营者，在市场上缺乏竞争压力，往往会使经营者丧失警觉性，忽略成本控制和生产力提高，降低了资源的使用效率；（3）具有市场支配地位的经营者，仅仅通过提高产品价格就可以获得高额利润，而不必去进行科技创新、提高生产效率，在一定程度上会阻碍科技的发展和技术的进步，不利于整个行业的发展。

正因为市场支配地位在带来规模经济好处的同时，会影响、限制市场的竞争，对具有市场支配地位的经营者实施控制，就成为各国反垄断法的一项重要内容。本条也对这一问题做出了原则性规定。

本条对具有市场支配地位的经营者实施控制的规定主要包括两方面的内容：

第一，反垄断法并不禁止经营者取得市场支配地位。经营者取得市场支配地位，实践中一般是通过以下方式：(1)通过国家授权而取得市场支配地位。对于一些特殊的产品，或者在一些关系国民经济命脉和国计民生的行业和领域，国家有意对其竞争秩序进行适当的控制，只允许一个或者少量的经营者进入该行业或者领域进行竞争，以维护国家安全和社会公共安全。上述行业的经营者，依据国家的授权而自然取得市场支配地位。(2)因行业的特殊性质而取得市场支配地位。在电力电网、铁路路网等需要通过大规模网络运营的行业，需要大量的基础设施投入才能生产经营，其投资周期长，资金回笼慢，需要大量资金支持，只有通过规模经济，才能降低产品成本，使边际成本低于平均成本。正因为这些行业的特殊性，如果多家企业投资经营，会造成资源的巨大浪费，这些行业的经营者也通常因此而取得市场支配地位。(3)因竞争而产生市场支配地位。在激烈的市场竞争中，经营者通过减少成本、改善经营、改进技术，提高自己的生产效率，从而不断扩大自己的市场份额，并最终取得市场支配地位。这也是在竞争的市场环境中，经营者取得市场支配地位最常见的方式。

从经营者取得市场支配地位的方式看，市场支配地位的产生通常是通过合法的途径：基于国家的授权或者是通过合法的竞争。因此，反垄断法对市场支配地位本身不应持反对态度。特别是在经营者通过合法竞争取得市场支配地位的情况下，如果反垄断法反对市场支配地位，就会产生逻辑上的悖论：反垄断法是促进市场竞争的法律，经营者取得市场支配地位是合法竞争的结果，而这种结果又被反垄断法所禁止，这在理论上是说不通的。在实践中，有一种看法认为反垄断法就是反规模经济、反垄断企业，反对经营者取得市场支配地位。这其实是一种误解，市场支配地位的产生是市场竞争、经济发展的必然产物，本身并没有好坏之分，法律也不应予以禁止。许多国家和有关国际组织的反垄断立法也都采取这一原则，即经营者取得市场支配地位是法律所允许的；反垄断法只是禁止经营者滥用市场支配地位，排除、限制竞争。本条的规定也体现了这一原则。

第二，反垄断法禁止经营者滥用市场支配地位，排除、限制竞争。反垄断法并不反对经营者取得市场支配地位；但是，具有市场支配地位的经营者，拥有强大的经济实力，能够控制市场上商品的价格、数量和其他交易条件，这种地位对市场竞争是一种潜在的威胁，如果其滥用市场支配地位，从事排除、限制竞争的行为，将会严重影响市场竞争秩序。因此，各国和有关国际组织的反垄断立法都对经营者滥用市场支配地位，排除、限制竞争的行为予以严格禁止。

本条明确规定，具有市场支配地位的经营者，不得滥用市场支配地位，排除、限制竞争。至于什么样的行为属于“滥用”，应根据经营者的行为对市场竞争的影响进行判断。本法第十七条对经营者滥用市场支配地位的行为做列举式规定。经营者从事该条规定的行为，就属于滥用市场支配地位，为法律所严格禁止。

本条明确表明允许经营者通过合法途径取得市场支配地位，同时又明确规定禁止经营者滥用市场支配地位，排除、限制竞争，这样既可以消除人们对反垄断法是否会不利于促进国内企业做大做强的担心，又可以对具有市场支配地位的经营者起到警示的作用，防止其滥用市场支配地位，损害消费者和其他经营者的合法权益，损害竞争。

第七条　国有经济占控制地位的关系国民经济命脉和国家安全的行业以及依法实行专营专卖的行业，国家对其经营者的合法经营活动予以保护，并对经营者的经营行为及其商品和服务的价格依法实施监管和调控，维护消费者利益，促进技术进步。

前款规定行业的经营者应当依法经营，诚实守信，严格自律，接受社会公众的监督，不得利用其控制地位或者专营专卖地位损害消费者利益。

【释义】　本条是对特定行业经营者的经营行为的规定。

我国一些特定的行业和领域，如军工生产、电力电网、铁路路网、长距离输油输气管道等具有自然垄断性质的行业，以及其他关系国家安全和国民经济命脉的重点行业和领域，主要是由国有和国有控股企业经营的。党的十六大报告明确指出："国有经济控制国民经济命脉，对于发挥社会主义制度的优越性，增强我国经济实力、国防实力和民族凝聚力，具有关键作用。”此外，依照有关法律、行政法规的规定，对与公众健康和国家税收影响重大的烟草制品和盐业，实行专营专卖制度。对这些特定行业经营者依法从事的经营活动，国家当然要给予保护。同时，由于这些行业的竞争受到限制，更需要国家对其经营者的经营行为加强监管和调控，包括依照价格法的规定，实行政府定价或者政府指导价；按照中央提出的“推进垄断行业改革，积极引入竞争机制”和“十一五”规划提出的“深化石油、电信、民航、邮政、烟草、盐业和市政公用事业改革，推进国有资产重组，形成竞争性市场格局”的要求，在这些行业中，引导、推进经营者之间开展竞争，促进技术进步；对经营者滥用其市场支配地位损害消费者利益的行为，应当依法查处。

上述特定行业涉及国民经济命脉，与公众利益关系密切，其经营者的经营行为受到社会的广泛关注。对有些经营者滥用支配地位，制定垄断高价或者服务态度、服务质量较差，损害消费者利益的行为，群众很不满意。为此，本条第二款对这些特定行业经营者的经营行为做出了有针对性的规定，强调这些行业的经营者必须依法经营，严格自律，不得利用其控制地位或者专营专卖地位损害消费者利益。

第八条　行政机关和法律、法规授权的具有管理公共事务职能的组织不得滥用行政权力，排除、限制竞争。

【释义】　本条是对禁止行政机关和法律、法规授权的具有管理公共事务职能的组织滥用行政权力，排除、限制竞争的原则性规定。

行政机关和法律、法规授权的具有管理公共事务职能的组织，滥用行政权力，排除、限制竞争的行为（即所谓行政性限制竞争行为，下同），在我国当前的经济生活中仍然存在。有的地方政府为了保护本地的企业，实施地区封锁，限制外地商品进入本地市场；有的行政机关滥用行政权力，以拒绝给予行政许可等方式，在特定市场内限定他人只能购买其指定的经营者的商品，等等。这些行为严重影响了市场竞争，妨碍统一、开放、竞争、有序的全国大市场的建立，不利于资源的优化配置，不利于经济的健康发展，也损害了广大消费者的利益。虽然从理论上来说，行政性限制竞争行为不属于反垄断法所应规范的对象，反垄断法也很难从根本上解决这一问题。但从我国的国情出发，在反垄断法这一保护竞争的专门性、基础性法律中，重申对行政性限制竞争的禁止性规定，是有必要的。本条对行政机关和法律、法规授权的具有管理公共事务职能的组织滥用行政权力，排除、限制竞争的行为进行了原则规定，本法第五章对实践中比较常见的行政性限制竞争行为做了专章规定。

本条对行政机关和法律、法规授权的具有管理公共事务职能的组织滥用行政权力，排除、限制竞争行为的规定包括以下内容：

1. 本条规范的对象是行政机关和法律、法规授权的具有管理公共事务职能的组织。与本法有关经济垄断的规定以经营者为规范对象不同，本条的规范对象不是经营者，而是拥有行政权力、行使行政管理职能的组织，包括行政机关和法律、法规授权的具有管理公共事务职能的组织。行政机关包括各级政府及政府所属的部门。具有管理公共事务职能的组织是指本身不属于行政机关，但通过法律、行政法规和地方性法规的授权而享有行政权力，行使行政管理职能的组织，这些组织经过授权而取得了行政管理的主体资格，可以自己的名义行使行政管理权，以自己的名义独立承担因行使行政管理权而引起的法律后果。

2. 本条禁止的是行政机关和法律、法规授权的具有管理公共事务职能的组织滥用行政权力，排除、限制竞争的行为。行政机关和法律、法规授权的具有管理公共事务职能的组织为了履行其职责应当依法正当行使其行政管理职能，包括经济方面的行政管理职能，但不能滥用行政权力，排除、限制竞争。对于什么样的行为构成滥用行政权力，排除、限制竞争，本法并没有明确界定，一般应考虑以下因素：首先，该行为是否具有排除、限制竞争的效果，只有排除、限制竞争的行为才为反垄断法所禁止；其次，该行为是否有法律或者政策依据，如果行政机关和法律、法规授权的具有管理公共事务职能的组织的行为是依照法律或者国家政策做出的，即使具有排除、限制竞争的效果，也不属于滥用行政权力的行为。

实践中滥用行政权力，排除、限制竞争行为的表现形式很多，本法第五章对几种常见的行为进行了列举，包括限定单位和个人只能经营、购买、使用指定的经营者提供的商品；妨碍商品在地区之间自由流通和充分竞争；排斥或者限制外地经营者参加本地的招标投标活动；排斥或者限制外地经营者在本地投资或者设立分支机构；强制经营者从事本法规定的垄断行为；制定含有排除、限制竞争内容的规定等。

第九条　国务院设立反垄断委员会，负责组织、协调、指导反垄断工作，履行下列职责：

（一）研究拟订有关竞争政策；

（二）组织调查、评估市场总体竞争状况，发布评估报告；

（三）制定、发布反垄断指南；

（四）协调反垄断行政执法工作；

（五）国务院规定的其他职责。

国务院反垄断委员会的组成和工作规则由国务院规定。

【释义】　本条是对国务院反垄断委员会的规定。

反垄断法的政策性和专业性都很强，合理设置执法机构，对反垄断法的有效实施关系重大。依照本法有关规定，反垄断行政执法工作由国务院规定的承担反垄断执法职责的机构负责。同时，为了协调反垄断执法，保证反垄断执法的统一性、公正性和权威性，本条规定设立国务院反垄断委员会，负责组织、协调、指导反垄断执法工作，并对国务院反垄断委员会的职责做了明确规定。

依据本条规定，国务院反垄断委员会履行下列职责：

1. 研究拟订有关竞争政策。竞争政策，是指国家为了保护和促进市场竞争而实施的经济政策。国家通过制定和实施竞争政策，确保竞争机制发挥作用，以提高生产效率，发挥市场配置资源的基础性作用。国务院反垄断委员会作为统一组织、协调、指导全国反垄断工作的机构，需要从宏观角度出发，综合分析我国的经济发展状况和市场结构，拟订符合我国国情的竞争政策，保护正常的市场竞争。

2. 组织调查、评估市场总体竞争状况，发布评估报告。对于反垄断法规定的垄断行为，在具体定性上，要看其是否排除、限制市场竞争，市场的竞争状况是反垄断执法的重要依据。因此，调查、评估市场总体竞争状况，并发布评估报告，为反垄断执法提供参考和依据，是国务院反垄断委员会的一项重要职责。其他一些国家反垄断法中也规定了反垄断执法机构的类似职责，如德国《反对限制竞争法》第四十四条规定：垄断委员会每两年制作一份鉴定书，对德国企业集中化的现状和预期发展做出评估，对有关合并监控的法律规定的适用做出评价，并对其他竞争政策方面的现实问题发表意见。

3. 制定、发布反垄断指南。反垄断执法工作是一项专业性很强的工作，经营者的行为是否排除、限制竞争，构成垄断行为，需要根据实际的市场竞争状况，运用经济分析等方法进行判断。从许多国家和有关国际组织的实际做法来看，反垄断法只能是构建起反垄断的基本制度框架，具体的、可操作性的内容还要依靠权威机构制定的反垄断指南来解决。例如，如何具体认定经营者之间的协议是否构成垄断协议，如何认定一项协议是否属于法律规定可以豁免的协议，如何具体认定构成滥用市场支配地位的行为，如何判断经营者的集中是否排除限制竞争，在具体实践中，往往需要靠依照法律规定的原则所制定的反垄断指南来指引。例如,美国司法部和联邦贸易委员会就分别制定并发布了《横向合并指南》《知识产权许可反托拉斯指南》《国际经营反托拉斯执法指南》《关于竞争者之间合谋的反托拉斯指南》等一系列指南。本法将制定、发布反垄断指南的职责赋予了国务院反垄断委员会。国务院反垄断委员会需要按照法律的规定,根据我国的市场竞争状况和经济发展状况,适时地制定、修改有关的反垄断指南,以保证反垄断法在实践中得到正确、有效地贯彻、实施。

4. 协调反垄断行政执法工作。依照本法规定,承担反垄断行政执法职责的机构由国务院规定。按我国目前的实际状况,有多个部门承担着反垄断行政执法职责。在这种情况下,为了保证反垄断行政执法的统一性、有效性,本条规定,由国务院反垄断委员会负责协调反垄断执法工作,督促各反垄断执法机构按照统一的标准、程序做好反垄断执法工作。同时,在对重大反垄断案件的处理上,如果有关机构的意见发生分歧,国务院反垄断委员会可以进行协调,以保证反垄断执法工作的顺利进行。

5. 国务院规定的其他职责。除了前面四项职责以外,国务院可以根据实际需要,赋予国务院反垄断委员会其他职责,以更好地执行反垄断法。

本条只是对国务院反垄断委员会的设立和职责进行规定,至于国务院反垄断委员会如何设立,委员会由哪些机构、人员组成,委员会如何履行其职责,委员会的议事方式和工作规则的制定等事项,依照本条第二款的规定,由国务院做出具体规定。

第十条　国务院规定的承担反垄断执法职责的机构(以下统称国务院反垄断执法机构)依照本法规定,负责反垄断执法工作。

国务院反垄断执法机构根据工作需要,可以授权省、自治区、直辖市人民政府相应的机构,依照本法规定负责有关反垄断执法工作。

【释义】　本条是对反垄断执法机构的规定。

关于反垄断执法机构的设置,从国外的经验看,多数国家是由一个独立的机构负责反垄断执法工作的,如德国的联邦卡特尔局、日本的公平交易委员会、俄罗斯的联邦反垄断局等;也有的国家是由两个机构共同执行反垄断法,如美国是由司法部和联邦贸易委员会共同负责反垄断执法工作。我国反垄断法关于反垄断行政执法机构设置的规定,要根据我国的实际情况,既要考虑现实的可行性,保证反垄断法的顺利实施;又要有一定的前瞻性,为今后的机构改革留有余地。为此,本法只规定了反垄断执法机构的职责及其工作程序,对于具体承担反垄断执法职责的机构由国务院另行规定。

本条第一款明确规定,国务院规定的承担反垄断执法职责的机构依照本法规定,负责反垄断执法工作。国务院根据反垄断行政执法工作的需要,可以决定由一个部门或机构统一负责反垄断执法工作,也可以决定由几个部门或机构分别负责不同领域的反垄断行政执法工作。

反垄断执法工作的专业性很强，为便于严格统一执法，同时考虑到建立全国统一、开放、竞争、有序的市场体系的需要，本法将反垄断执法作为中央事权，原则上应由国务院规定的承担反垄断执法职责的部门依据本法行使反垄断执法的职权，地方政府及其部门不行使反垄断法的执法权。同时，考虑到我国的实际情况，所有的垄断案件都由国务院反垄断执法机构亲自处理，可能工作量太大，负担太重，为此，本条第二款规定，国务院反垄断执法机构可以根据工作需要，授权省级政府相应的机构，依照本法规定负责有关的反垄断执法工作。依据该款规定，省级政府相关机构可以在国务院反垄断执法机构授权的范围内，负责有关的反垄断执法工作。该项授权只能给予省级政府的相应机构，不能再下放。

第十一条　行业协会应当加强行业自律，引导本行业的经营者依法竞争，维护市场竞争秩序。

【释义】　本条是对行业协会在市场竞争中应当发挥的作用的规定。

行业协会是由同一行业的经营者所组成的、以保护和增进全体会员的共同利益为目的、根据章程开展活动的非营利性的社会团体。改革开放以来，我国行业协会发展较快，在提供政策咨询、加强行业自律、促进行业发展、维护企业合法权益等方面发挥了重要作用。党的十六届三中全会指出，要按市场化原则规范和发展各类行业协会等自律性组织；十六届六中全会进一步强调，要坚持培育发展和管理监督并重，完善培育扶持和依法管理社会组织的政策，发挥各类社会组织提供服务、反映诉求、规范行为的作用，为经济社会发展服务。我国正在加快推进行业协会的改革和规范，将逐步建立体制完善、结构合理、行为规范、法制健全的行业协会体系，充分发挥行业协会在经济建设和社会发展中的重要作用。随着政府职能的进一步转变，各级人民政府及其部门逐步把适宜于行业协会行使的职能委托或转移给行业协会，行业协会作为中介组织和自律性行业管理组织，在促进社会主义市场经济健康发展中发挥的作用也越来越突出。

在市场竞争中，行业协会还担负着实施行业自律的重要职责：一方面，要围绕规范市场秩序，健全各项自律性管理制度，制定并组织实施行业职业道德准则，大力推动行业诚信建设，建立完善行业自律性管理约束机制，通过制定章程，规范会员行为，协调会员关系，引导本行业经营者依照本法和价格法、反不正当竞争法等法律、行政法规的规定，开展公平有序竞争，维护公平竞争的市场环境；另一方面，要依法加强自我约束和自我管理，在为会员提供各项服务，维护会员利益的同时，不能为了行业利益而组织实施排除、限制竞争的行为，否则将承担相应的法律责任。

第十二条　本法所称经营者，是指从事商品生产、经营或者提供服务的自然人、法人和其他组织。

本法所称相关市场，是指经营者在一定时期内就特定商品或者服务（以下统称商品）进行竞争的商品范围和地域

范围。

【释义】 本条是对本法所称的“经营者”和“相关市场”概念的定义性规定。

“经营者”界定了反垄断法的规制对象。本法上的经营者，是指独立参与市场经济活动的各类主体，从主体性质上看包括自然人、法人和其他组织，从营业性质上看包括生产者、经销者和服务提供者。判断一个主体是否属于反垄断法上的经营者，关键在于它是否作为法律上和经济上独立的行为主体参与市场经济活动，而不在于它的具体组织形式。

“相关市场”是指在具体的案件中，竞争关系或者垄断行为所发生的市场。相关市场的界定是分析经营者的市场行为是否构成垄断的基础，在反垄断案件中常常具有决定性的意义。在反垄断调查中涉及被调查对象所占有的市场份额时，相关市场界定得越窄，作为被调查对象的经营者的市场份额就越大，一般认为其行为对该相关市场的竞争状况的影响也越大，因而反垄断执法机构对其进行反垄断审查和规制的可能性也就越大。反则反之。具体而言，界定“相关市场”需要考虑商品、地域和时间三个因素。

本条所称就特定商品或者服务进行竞争的“商品范围”，是指相关市场中的商品因素。分析商品因素，需要界定相关商品市场。认定两个或者两个以上的商品是否属于构成竞争关系的相关商品市场范围，即是否属于“同一商品市场”，关键在于消费者认为它们之间是否具有可替代性。这种可替代性首先取决于商品或者服务对于消费者而言具有相同或者类似的性能或者用途。例如,在国外的案例中,作为消暑食品的雪糕和冰淇淋曾被认定为属于同一个商品市场。而对维生素产品,从维生素的特殊性能和不同用途出发,7 种维生素曾被认为属于 7 个不同的商品市场。此外,价格因素也会对可替代性造成影响。如果价格差异过于悬殊,例如,一般市场上出售的便宜香水和高级化妆品店出售的高级香水,虽然性质和用途相同,一般被认为属于不同的商品市场。

本条所称就特定商品或者服务进行竞争的"地域"范围,是指相关市场中的地域因素。分析地域因素,需要界定相关地域市场,即经营者销售特定商品时,消费者可以购买到与之相竞争的商品的地域范围。具体而言,需要考虑由于政治、经济、文化等原因造成的地区之间的差异,不同地域商品的价格差异,消费者的特殊偏好以及商品的运输费用等。例如,在商品销往全国而运输费用无关紧要的情况下,整个国家可能被界定为一个地域市场;但是,对于对原产地有特殊要求的商品而言,一个很小的区域也可能单独构成一个地域市场。

本条所称"一定时期",指的是相关市场中的时间因素。时间因素的作用体现在它对商品因素和地域因素的影响上。随着时间的推移,昔日的替代商品可能已经被淘汰,新的替代商品会应运而生,相关商品市场随之发生变化;同理,随着时间的推移,地区差异逐渐缩小,交通运输能力逐步提高,相关地域市场也相应发生变化。

第二章 垄断协议

第十三条 禁止具有竞争关系的经营者达成下列垄断协议：

（一）固定或者变更商品价格；

（二）限制商品的生产数量或者销售数量；

（三）分割销售市场或者原材料采购市场；

（四）限制购买新技术、新设备或者限制开发新技术、新产品；

（五）联合抵制交易；

（六）国务院反垄断执法机构认定的其他垄断协议。

本法所称垄断协议，是指排除、限制竞争的协议、决定或者其他协同行为。

【释义】 本条是对垄断协议概念及横向垄断协议类型的规定。

（一）垄断协议的概念

本条第二款规定，本法所称垄断协议，是指排除、限制竞争的协议、决定或者其他协同行为。其中，“协议”是指两个或者两个以上的经营者通过书面协议或者口头协议的形式，就排除、限制竞争的行为达成一致意见；“决议”是指企业集团或者其他形式的企业联合体以决议的形式，要求其成员企业共同实施的排除、限制竞争的行为；“其他协同行为”是指企业之间虽然没有达成书面或者口头协议、决议，但相互进行了沟通，心照不宣地实施了协调的、共同的排除、限制竞争行为。

各国及国际组织对垄断协议的称谓并不完全相同，如德国将其称为“卡特尔”，法国将其称为“非法联合行为”，日本将其称为“不正当交易限制”，欧盟将其称为“限制竞争协议”。但对垄断协议的定义基本一致，即垄断协议的实施主体是两个以上的独立经营者；垄断协议的表现形式除书面或口头协议、决议外，还包括协同行为；垄断协议具有排除、限制竞争的目的或产生排除、限制竞争的效果。例如，德国《反对限制竞争法》第一条规定，企业之间达成的协议、企业联合组织做出的决定以及联合一致的行为，如以阻碍、限制或者扭曲竞争为目的或使竞争受到阻碍、限制或者扭曲，则是被禁止的。

（二）垄断协议的种类

按照参与协议的主体，可以将垄断协议分为横向协议和纵向协议。横向协议是指在生产或者销售过程中处于同一阶段的经营者之间（如生产商之间、批发商之间、零售商之间）达成的协议；纵向协议是指在生产或者销售过程中处于不同阶段的经营者之间（如生产商与批发商之间、批发商与零售商之间）达成的协议。本条是对横向垄断协议类型的规定，由于处于同一阶段的经营者之间具有竞争关系，所以，本条对横向垄断协议界定为具有竞争关系的经营者之间达成的协议。

（三）横向垄断协议的类型

相互处于竞争关系的经营者之间的横向协议，往往会排除、限制竞争，因此多数横向协议都属于反垄断法所规制的垄断协议。本条的具体规定是：

1. 固定或者变更商品价格。价格竞争是经营者之间最重要、最基本的竞争方式，因此，经营者之间通过协议、决议或者协同行为，固定或者变更商品价格的行为，是最为严重的反竞争行为。

2. 限制商品的生产数量或者销售数量。产品或者服务的供应数量减少，必然会导致价格上升，损害消费者利益，因此，经营者之间限制商品的生产数量或者销售数量的协议是典型的垄断协议。

3. 分割销售市场或者原材料采购市场。经营者之间分割地域、客户或者产品市场的行为限制了商品的供应，限制了经营者之间的自由竞争。

4. 限制购买新技术、新设备或者限制开发新技术、新产品。开发新技术、新产品，有利于降低成本，提高生产效率，是一种有效的竞争手段，也有利于消费者利益。经营者通过协议对新技术、新设备的购买，以及新技术、新产品的开发做出限制，是减少竞争、破坏竞争的行为。

5. 联合抵制交易，又称集体拒绝交易，即协议各方联合起来不与其他竞争对手、供应商或者销售商交易。

6. 国务院反垄断执法机构认定的其他垄断协议。考虑到实践中情况比较复杂，本条在对横向垄断协议做出具体列举的同时，又规定了兜底条款，即授权国务院反垄断执法机构可以对本条列举之外的横向协议是否属于本法规定的垄断协议做出认定。

本法对垄断协议的界定，是以其是否排除、限制竞争为标准。所以对本条列举的协议，如果其符合本法关于垄断协议定义的规定，即属于垄断协议。反之，则不属于。

（四）执法实践中对垄断协议的认定原则

经营者之间的协议、决议或者其他协同行为，是否构成反垄断法所禁止的垄断协议，应当以该协议是否排除、限制竞争为标准。但是，如果实践中对经营者之间的协议都进行全面的调查和复杂的经济分析，以确定其对竞争秩序的影响，将会耗费大量的执法成本。在长期经验积累的基础上，不少国家针对垄断协议的性质和对竞争秩序的影响程度，在执法实践中形成了两种认定原则，即本身违法原则和合理分析原则。

1. 本身违法原则。经营者之间的一些协议、决议或者协同一致的行为，一旦形成，必然会产生排除或者限制竞争的后果，通常对这类协议采取本身违法原则，即只要经营者的协议、决议或者协同一致的行为被证实存在，就构成垄断协议。从一些国家的经验看，适用本身违法原则的一般都是横向垄断协议，如固定价格协议、限制产量或者销量协议、划分市场协议等。适用本身违法原则的协议并不是固定不变的，随着情况的变化，对有些协议也适用合理分析原则。

2. 合理分析原则。即除了适用本身违法原则的协议外，对其他协议是否会排除、限制竞争进行分析，考虑协议所涉及的市场具体情况、协议实施前后的市场变化情况，以及协议的性质和后果等因素。只有在分析后确认该协议确实排除、限制了市场竞争，才能认定为垄断协议。

第十四条　禁止经营者与交易相对人达成下列垄断协议：

（一）固定向第三人转售商品的价格；

（二）限定向第三人转售商品的最低价格；

（三）国务院反垄断执法机构认定的其他垄断协议。

【释义】　本条是对纵向垄断协议的规定。

纵向协议是指在生产或者销售过程中处于不同阶段的经营者之间（如生产商与批发商之间、批发商与零售商之间）达成的协议。由于纵向协议的经营者之间多数不具有竞争关系，本条对纵向协议界定为经营者与交易相对人之间达成的协议。

相互之间没有竞争关系的经营者之间的纵向协议，除少数涉及价格的协议外，多数不会排除、限制竞争。因而不属于反垄断法所规制的垄断协议。比如，生产商与销售商签订的在一定区域内的独家销售协议，其排除了在该区域其他销售商销售该生产商生产的该种商品的行为，实际上排除了品牌内的竞争；但另一方面，该协议并不能排除其他生产商与其他销售商签订独家销售协议，因此，独家销售协议虽然排除了品牌内的竞争，但没有排除甚至加剧了品牌间的竞争，并最终使消费者受益。考虑到多数纵向协议对竞争的危害不像横向协议那么直接或者明显，实践中许多国家对其采取合理分析原则。但是，对涉及价格内容的纵向协议，多数情况下采取本身违法原则。涉及价格内容的纵向协议主要包括：

1. 固定向第三人转售商品的价格。固定转售商品价格协议，与横向垄断协议中的固定价格协议一样，是最为严重的反竞争行为。许多国家对其采取本身违法原则。

2. 限定向第三人转售商品的最高价格或者最低价格。限制最高转售价格，即限制了销售商的涨价幅度，有利于保护消费者利益。同时，也可以使销售商在最高限价和批发价或者出厂价之间竞争。因此，许多国家对其采取合理分析原则，通过分析该协议是否排除、限制竞争而判断是否属于垄断协议。而限制最低转售价格，不利于保护消费者利益，因此，许多国家对其采取本身违法原则，将其作为反垄断法规制的对象。近年来，采取合理分析原则的协议范围越来越宽，在美国已有对"限制最低转售价格"采取合理分析原则的案例。

考虑到纵向协议的上述特点，借鉴国外实践经验，本条只对涉及价格的纵向垄断协议类型做了规定，具体是：固定向第三人转售商品的价格和限定向第三人转售商品的最低价格。同时，考虑到实践中情况非常复杂，本条在对纵向垄断协议做出具体列举的同时，又规定了兜底条款，即授权国务院反垄断执法机构可以对本条列举之外的纵向协议是否属于本法规定的垄断协议做出认定。

本身违法原则或者合理分析原则是执法实践中掌握的原则。本法对垄断协议的界定，是以其是否排除、限制竞争为标准。所以对本条列举的协议，如果其符合本法关于垄断协议定义的规定，即属于垄断协议。反之，则不属于。

第十五条　经营者能够证明所达成的协议属于下列情形之一的，不适用本法第十三条、第十四条的规定：

（一）为改进技术、研究开发新产品的；

（二）为提高产品质量、降低成本、增进效率，统一产品规格、标准或者实行专业化分工的；

（三）为提高中小经营者经营效率，增强中小经营者竞争力的；

（四）为实现节约能源、保护环境、救灾救助等社会公共利益的；

（五）因经济不景气，为缓解销售量严重下降或者生产明显过剩的；

（六）为保障对外贸易和对外经济合作中的正当利益的；

（七）法律和国务院规定的其他情形。

属于前款第一项至第五项情形，不适用本法第十三条、第十四条规定的，经营者还应当证明所达成的协议不会严重限制相关市场的竞争，并且能够使消费者分享由此产生的利益。

【释义】　本条是对垄断协议豁免的规定。

垄断协议的豁免，是指经营者之间的协议、决议或者其他协同行为，虽然有排除、限制竞争的影响，但该类协议在其他方面所带来的好处要大于其对竞争的不利影响，因此法律规定对其豁免，即排除适用反垄断法的规定。豁免制度是利益衡量的结果，即从经济效果和对限制竞争的影响进行利益对比，在“利大于弊”时，对该垄断协议排除适用反垄断法。

许多国家、地区及欧盟的反垄断法都对垄断协议的豁免做了规定。其中有的是对豁免的基本原则做了规定，比如《欧共体条约》第八十一条第三款规定，可以豁免的垄断协议必须满足以下条件：有助于改进生产或者分销产品，或者促进技术进步、经济进步；使消费者公平分享由此产生的利益；有关企业所受到的限制对于达到上述目标是不可缺少的；在所涉及产品的相当范围内，没有排除竞争。还有的是对豁免的类型做了列举，比如我国台湾地区“公平交易法”规定了七种可以豁免的垄断协议，包括：(1)为降低成本、改良品质或者增进效率，而统一商品规格或者型号；(2)为提高技术、改良品质、降低成本或增进效率，而共同研究开发商品或者市场；(3)为促进事业合理经营而分别做专业发展；(4)为确保或促进出口，而专就境外市场的竞争进行约定；(5)为加强贸易效能，而就境外商品的进口采取共同行为；(6)经济不景气期间，商品市场价格低于平均生产成本，导致该行业的企业难以继续维持或者生产过剩，为有计划适应需求而限制产销数量、设备或者价格；(7)为增进中小企业的经营效率，或加强其竞争力。

本法对垄断协议的豁免，采取的是规定豁免类型的方式。在借鉴境外经验，并结合我国实际情况的基础上，本条规定对以下垄断协议予以豁免：

1. 为改进技术、研究开发新产品的。改进技术、研究开发新产品，可以提高生产率，有利于经济发展和消费者利益，所以本项规定为上述目的达成的垄断协议可以豁免。

2. 为提高产品质量、降低成本、增进效率，统一产品规格、标准或者实行专业化分工的。统一产品的规格、标准，主要是指经营者对各种原材料、半成品或者成品在性能、规格、质量、等级等方面规定统一要求，使商品之间具有可替代性和兼容性；实行专业化分工，是指经营者发挥各自专长，分工协作，使他们从生产多种商品的全能型企业转变为专门化企业，由此实现经济合理化。这两种行为有利于提高产品质量、降低成本、增进效率、实现规模经济，有利于保护消费者利益。所以本项规定为上述目的达成的垄断协议可以豁免。

3. 为提高中小经营者经营效率，增强中小经营者竞争力的。相对于大企业，中小企业处于弱势，在竞争中处于不利地位。为了保护中小企业的合法权益，本项规定为提高中小经营者经营效率，增强中小经营者竞争力的垄断协议可以豁免。

4. 为实现节约能源、保护环境、救灾救助等社会公共利益的。节约能源、保护环境、救灾救助等涉及社会公共利益的行为，有利于社会的持续发展，有利于人民群众的利益，为此，本项规定对这类涉及公共利益的垄断协议予以豁免。

5. 因经济不景气，为缓解销售量严重下降或者生产明显过剩的。这主要是针对特定经济时期做的规定。在经济不景气时，市场会严重供大于求，造成销售量大幅度下降，出现生产大量过剩现象。在这种特定情况下,对经营者达成的限制产量或者销量等垄断协议予以豁免,有利于避免对社会资源造成巨大损害,有利于避免造成大量失业,有利于经济的恢复。

6.为保障对外贸易和对外经济合作中的正当利益的。对外贸易和对外经济合作主要是指商品的进出口和劳务输出等活动。为了保障我国对外贸易和经济合作中的正当利益,本项规定对为此而达成的垄断协议予以豁免。

7.法律和国务院规定的其他情形。本项规定有两层含义:一是,除本条规定的豁免情形外,如果其他法律对垄断协议豁免的情形做了规定,则应当豁免适用本法;二是,本项还授权国务院可以在本法规定的豁免情形之外,规定其他的豁免情形。

同时,本条第二款规定,对属于第一款第一项至第五项情形予以豁免的,经营者还要承担相应的举证责任。即属于第一款第一项至第五项情形的垄断协议,不是当然豁免,还要符合一定的条件,即经营者还应当证明所达成的协议不会严重限制相关市场的竞争,并且能够使消费者分享由此产生的利益。

垄断协议豁免的程序。以前有些国家对垄断协议的豁免规定了申请程序,即由协议当事人向反垄断执法机构申请,由反垄断执法机构决定是否允许豁免。近些年,欧盟及一些国家开始对垄断协议豁免的申报制度进行改革。根据欧盟2003年第1号条例的规定,自2004年5月1日起,取消垄断协议豁免的申报制度，即垄断协议只要符合条约第八十一条第三款的规定，就自动得到豁免。至于是否符合法定的豁免条件，由协议当事人自行判断，并由当事人负举证责任。该规定一方面减轻了企业申报的负担，并减轻了主管部门的工作量，但另一方面也增加了企业的自行判断可能与法定条件不符的风险。

本条对垄断协议的豁免未规定申报制度。完全由经营者自行判断其协议是否符合本条规定的豁免条件。如果反垄断执法机构在监管过程中发现经营者达成的垄断协议不属于本法规定的豁免情形，经营者将承担达成垄断协议的法律后果。

第十六条　行业协会不得组织本行业的经营者从事本章禁止的垄断行为。

【释义】　本条是对行业协会对本法的适用的规定。

在市场经济条件下，由同行业经营者组成行业协会或者其他经营者团体，在沟通本行业与政府的关系，为会员企业提供信息等服务，实行行业自律，以及支持企业参与国际竞争等方面，发挥着重要作用。但行业协会的行为也存在限制竞争的可能性，特别是在本行业市场竞争激烈的时候，有些行业协会在会员企业的要求下，以行业“自律”的形式，组织会员企业签订价格同盟协议等限制竞争的协议，排除、限制竞争。为此，许多国家和有关国际组织都将行业协会等经营者团体实施的排除、限制竞争行为纳入反垄断法的规范范围之内。例如，德国《反对限制竞争法》第一条明确规定，企业联合组织做出的决议，如以阻碍、限制或扭曲竞争为目的或使竞争受到阻碍、限制或扭曲，予以禁止。欧盟条约和日本、韩国等国的竞争法律也有类似的规定。美国的反垄断法律中虽然没有明确规定对行业协会的适用，但在执法实践中，行业协会的排除、限制竞争行为同样要受到反垄断法的约束。

从我国经济生活的实际看，一些行业协会以“行业自律价”的形式搞价格同盟，或者组织会员企业联合限定产量等行为，已屡见不鲜，限制了正常的市场竞争，损害了消费者利益。本条明确规定，行业协会不得组织本行业经营者从事本章禁止的垄断行为，即不得组织经营者达成法律禁止的垄断协议，为依法禁止和查处这类违法行为提供了明确的法律依据。

第三章　滥用市场支配地位

第十七条　禁止具有市场支配地位的经营者从事下列滥用市场支配地位的行为：

（一）以不公平的高价销售商品或者以不公平的低价购买商品；

（二）没有正当理由，以低于成本的价格销售商品；

（三）没有正当理由，拒绝与交易相对人进行交易；

（四）没有正当理由，限定交易相对人只能与其进行交易或者只能与其指定的经营者进行交易；

（五）没有正当理由搭售商品，或者在交易时附加其他不合理的交易条件；

（六）没有正当理由，对条件相同的交易相对人在交易价格等交易条件上实行差别待遇；

（七）国务院反垄断执法机构认定的其他滥用市场支配地位的行为。

本法所称市场支配地位，是指经营者在相关市场内具有能够控制商品价格、数量或者其他交易条件，或者能够阻碍、影响其他经营者进入相关市场能力的市场地位。

【释义】　本条是对市场支配地位概念及滥用市场支配

地位具体情形的规定。

（一）市场支配地位的概念

市场支配地位是指企业或企业集团能够左右市场竞争或者不受市场竞争机制的制约。即居于市场支配地位的企业不必被迫考虑竞争者或交易对手的反应就可以自由定价或者自主地做出其他经营决策。本条对市场支配地位概念的规定是：经营者在相关市场内具有能够控制商品价格、数量或者其他交易条件，或者能够阻碍、影响其他经营者进入相关市场能力的市场地位。简单来讲，就是经营者具有控制相关市场的能力，即控制相关市场交易条件的能力或者阻碍其他经营者进入该相关市场的能力。其中的相关市场是指经营者在一定时期内就特定商品或者服务（统称商品）进行竞争的商品范围和地域范围。其中的经营者可以是一个，也可以是数个经营者作为整体共同控制市场。

需要强调的是，反垄断法并不禁止经营者具有市场支配地位，而是禁止具有市场支配地位的经营者滥用市场支配地位，从事排除、限制竞争的行为。为此，本法在总则第六条中明确规定，具有市场支配地位的经营者，不得滥用市场支配地位，排除、限制竞争。

（二）滥用市场支配地位的概念和具体情形

1. 概念。滥用市场支配地位，是指支配企业为维持或者增强其市场支配地位而实施的反竞争的行为，其特点是：(1)行为主体具有特定性，即行为主体是在市场上具有支配地位的企业，而非其他企业。(2)行为目的具有特定性，即实施滥用行为是为了维持或增强其支配地位。(3)行为本身具有反竞争性,即滥用行为是排除、限制竞争的行为。从一些国家和地区反垄断立法看,对禁止滥用市场支配地位行为的规范,采取两种方式。一是概括式,即只做原则性禁止,不具体规定所禁止的滥用行为,美国等国家采取这种方式;二是概括加列举式,即在做出原则性禁止规定的同时,列举一些典型的予以禁止的滥用行为,欧盟等采取这种方式。本条采取的是列举具体的滥用行为的方式。

2. 本条对滥用市场支配地位具体行为的规定是:

(1)以不公平的高价销售商品或者以不公平的低价购买商品。这是指具有支配地位的企业违背平等互利原则,凭借其强势在交易活动中以不公平的高价销售商品或者以不公平的低价购买商品,损害交易对方利益的行为。

(2)没有正当理由,以低于成本的价格销售商品。即掠夺性定价行为,是指支配企业持续地以低于成本的价格销售商品,以便将竞争对手排挤出市场,阻止新的经营者进入市场以致成功地垄断该市场的行为。这种行为的代价是很高的,但支配企业期待将来实现的利润超过现在的损失,并能得到更多的利润。如果以低于成本的价格销售商品具有正当理由,则不属于本法规定的行为,如销售鲜活商品、处理有效期限即将届满的商品或者其他积压商品、进行季节性降价。

(3)没有正当理由,拒绝与交易相对人进行交易。即拒绝交易行为,是指制造商没有正当理由拒绝向购买者,尤其是零售商或者批发商销售商品的行为。制造商通过拒绝供货行为，可以强迫批发商或者零售商按照其规定的价格等条件销售商品，从而限制了该种商品的价格竞争，也会造成其他经营者进入该市场的障碍。

（4）没有正当理由，限定交易相对人只能与其进行交易或者只能与其指定的经营者进行交易。即独家交易行为，是指具有支配地位的企业凭借其地位，不合理地要求交易相对人只能与其进行交易，或者只能与其指定的经营者进行交易。

（5）没有正当理由搭售商品，或者在交易时附加其他不合理的交易条件。这是指具有支配地位的企业强迫交易对方购买从性质、交易习惯上均与合同无关的产品或服务的行为。搭售的目的是为了将市场支配地位扩大到被搭售产品的市场上，或者妨碍潜在的竞争者进入。在判定搭售行为是否违反反垄断法时，首先应考虑搭售是否是一种不合理的安排，即搭售是否出于该商品的交易习惯；若将被搭售的商品分开销售，是否有损于该商品的性能或使用价值。其次应考虑该搭售行为是否具有反竞争的效果。

（6）没有正当理由，对条件相同的交易相对人在交易价格等交易条件上实行差别待遇。即歧视待遇行为，是指支配企业没有正当理由而对条件相同的交易对方，比如对购买相同数量、相同质量货物的交易对方提供不同的价格或者其他交易条件，致使有的交易对方处于不利的竞争地位。

（7）国务院反垄断执法机构认定的其他滥用市场支配地位的行为。鉴于实践中情况比较复杂，本条在对滥用市场支配地位行为做出具体列举的同时，又规定了兜底条款。即授权国务院反垄断执法机构可以对本条列举之外的其他行为是否属于滥用市场支配地位行为做出认定。

第十八条　认定经营者具有市场支配地位，应当依据下列因素：

（一）该经营者在相关市场的市场份额，以及相关市场的竞争状况；

（二）该经营者控制销售市场或者原材料采购市场的能力；

（三）该经营者的财力和技术条件；

（四）其他经营者对该经营者在交易上的依赖程度；

（五）其他经营者进入相关市场的难易程度；

（六）与认定该经营者市场支配地位有关的其他因素。

【释义】　本条是对认定经营者具有市场支配地位应当考虑的因素的规定。

由于滥用市场支配地位的主体具有特定性，即不是所有的企业都能成为这一行为的主体，因此，首要问题是对市场支配地位企业的认定。本法对市场支配地位的定义做了规定，即经营者在相关市场内具有能够控制商品价格、数量或者其他交易条件，或者能够阻碍、影响其他经营者进入相关市场能力的市场地位。在此基础上，本条又对认定经营者具有市场支配地位应当考虑的因素做了规定，为反垄断执法机构提供认定的依据。其具体内容是：

1. 该经营者在相关市场的市场份额，以及相关市场的竞争状况。“市场份额”是指特定企业的总产量、销售量或者生产能力在相关市场中所占的比例,又称为市场占有率。市场份额是判定一个企业是否具有市场支配地位的一个重要因素。“相关市场的竞争状况”是指在相关市场有无竞争,竞争是否充分。

2. 该经营者控制销售市场或者原材料采购市场的能力。这是指该经营者控制销售市场和原材料采购市场的价格、数量或者其他交易条件的能力。

3. 该经营者的财力和技术条件。这是指该经营者在资金规模和技术等方面与其他经营者相比的情况。

4. 其他经营者对该经营者在交易上的依赖程度。这是指该经营者在交易中所处的地位,比如其他经营者是否只依靠其提供货物。

5. 其他经营者进入相关市场的难易程度。即相关市场的潜在竞争状况,是指该经营者对相关市场的控制情况,比如其他经营者是否难以进入相关市场从事经营活动。

6. 与认定该经营者市场支配地位有关的其他因素。本项是兜底条款,是指除前五项之外的与市场支配地位有关的其他因素。

第十九条　有下列情形之一的,可以推定经营者具有市场支配地位:

(一)一个经营者在相关市场的市场份额达到二分之一的;

（二）两个经营者在相关市场的市场份额合计达到三分之二的；

（三）三个经营者在相关市场的市场份额合计达到四分之三的。

有前款第二项、第三项规定的情形，其中有的经营者市场份额不足十分之一的，不应当推定该经营者具有市场支配地位。

被推定具有市场支配地位的经营者，有证据证明不具有市场支配地位的，不应当认定其具有市场支配地位。

【释义】 本条是对推定市场支配地位的规定。

本法第十八条是对认定市场支配地位应当依据的因素的规定。在具体执法过程中，反垄断执法机构应当根据第十八条规定的各项因素进行判断，对经营者是否具有市场支配地位做出认定。为了节约执法成本和对经营者实行有效监管，本条规定了推定制度，即反垄断执法机构仅根据本条规定的经营者的市场份额，就可推定该经营者具有市场支配地位，因为市场份额是判断经营者是否具有市场支配地位的重要因素。德国、韩国的反垄断法中规定了市场支配地位的推定制度。比如德国规定，如果一个企业的市场份额不低于三分之一，三个以下企业的市场份额之和为二分之一以上，五个以下企业的市场份额之和为三分之二以上，即推定这些企业具有支配地位。韩国规定，在相关市场的市场占有率符合以下条件者，推定为支配地位：一个经营者的市场占有率在50%以上；三个以下的经营者的市场占有率合计在75%以上，但是该情形中市场占有率不足10%的除外。

借鉴国外经验，并结合我国实际情况，本条对推定制度的具体规定是：（1）一个经营者在相关市场的市场份额达到二分之一的；（2）两个经营者在相关市场的市场份额合计达到三分之二的；（3）三个经营者在相关市场的市场份额合计达到四分之三的，可以推定经营者具有市场支配地位。在第二项、第三项规定的情形下，推定这两个或者三个经营者分别具有市场支配地位。同时本条第二款规定，如果其中有的经营者市场份额不足十分之一的，不应当推定该经营者具有市场支配地位。这主要是考虑“十分之一”的份额很小，对其忽略不计。将多个企业作为整体推定具有市场支配地位，主要是解决市场寡头垄断问题。如果若干企业占据了一个市场主要的市场份额，其很容易通过实施共同行为控制该市场，但反垄断执法机构却很难掌握其达成垄断协议的证据。为此，将多个企业的市场份额合并计算来推定其中的每个企业都具有市场支配地位，这样的制度安排可以有效地对从事相同行为的寡头垄断企业（没有达成垄断协议的证据）的行为进行规范和制约。

本条第三款规定了经营者对反垄断执法机构的推定予以反证的制度。推定与认定的不同，主要在于由谁承担举证责任。推定的举证责任在于被推定者，而认定的举证责任在于做出认定的一方。如果被推定者不提出反证或者反证不为推定方认可，则该推定成立。为此，本条第三款规定被推定的经营者有权反证，即被推定具有市场支配地位的经营者，有证据证明不具有市场支配地位的,不应当认定其具有市场支配地位。被推定的经营者可以根据本法第十八条规定的因素及其他因素,通过证明他们之间存在实质性的竞争,或者他们与另外的竞争对手相比,不具有突出的优势地位等证据反证其不具有市场支配地位。如果其提供的证据具有说明力,反垄断执法机构不应当认定其具有市场支配地位。

第四章 经营者集中

第二十条 经营者集中是指下列情形：

（一）经营者合并；

（二）经营者通过取得股权或者资产的方式取得对其他经营者的控制权；

（三）经营者通过合同等方式取得对其他经营者的控制权或者能够对其他经营者施加决定性影响。

【释义】 本条是对经营者集中的规定。

经营者集中是指经营者通过合并、兼并及购买竞争对手股权或资产等方式进行的企业行为。经营者集中是优化产业结构和企业组织结构的重要手段，也是企业迅速扩张、提高规模经济效益和市场竞争力的有效手段。经营者集中会对竞争产生一定影响，由于经济力量的集中和市场结构的改变，容易导致市场中的竞争者数量减少，相关市场竞争程度降低，也使数量减少了的竞争者之间容易做出协调一致的行为，并且产生和加强市场支配力量，有可能排除和限制竞争，损害消费者利益，所以各国反垄断法都将经营者集中的管制作为其重要内容之一。

本条明确了我国反垄断法所调整的三种经营者集中的

形式。

1. 经营者合并。经营者合并是指两个或两个以上的企业通过订立合并协议,合并为一家企业的法律行为。经营者合并是两个或两个以上企业自愿的共同行为,必须遵守法律规定,通过依法订立的合同来完成,并产生相应的法律后果;有的还须依法经有关部门批准。通过证券交易所集中竞价进行强制收购而形成的企业合并也是本法所称的经营者合并。

经营者合并通常有两种方式:一种方式是吸收合并,又称存续合并,指两个或两个以上的企业合并时,其中一个或一个以上的企业并入另一家企业的法律行为,通常是实力强大的企业吸收合并弱小企业;另一种方式是新设合并,是指两个或者两个以上的企业组合成为一家新企业的法律行为,原有的两家企业不再存在,结合成为一家新的企业。

2. 经营者通过取得股权或者资产的方式取得对其他经营者的控制权。有两种方式:一种方式是一家企业通过购买、置换等方式取得另一家或几家企业的股权,该企业成为另一家或几家企业的控股股东并进而取得对其他经营者的控制权;另一种方式是一家企业通过购买、置换、抵押等方式取得另一家或几家企业的资产,该企业成为另一家或几家企业的控股股东或实际控制人,取得对其他经营者的控制权。

3. 经营者通过合同等方式取得对其他经营者的控制权或者能够对其他经营者施加决定性影响。一家企业可以通过委托经营、联营等合同方式与另一家或几家企业之间形成控制被控制关系或者可以施加决定性影响;也可以通过合同方式直接或者间接控制其他经营者的业务或人事等方面，或者在业务或人事方面施加决定性影响。

对与本条第（二）、（三）项相关的内容，我国公司法第二百一十七条做出了如下规定，本法下列用语的含义：控股股东，是指其出资额占有限责任公司资本总额百分之五十以上或者其持有的股份占股份有限公司股本总额百分之五十以上的股东；出资额或者持有股份的比例虽然不足百分之五十，但依其出资额或者持有的股份所享有的表决权已足以对股东会、股东大会的决议产生重大影响的股东。实际控制人，是指虽不是公司的股东，但通过投资关系、协议或者其他安排，能够实际支配公司行为的人。这有利于我们理解本条关于控制权、施加决定性影响的规定。

第二十一条　经营者集中达到国务院规定的申报标准的，经营者应当事先向国务院反垄断执法机构申报，未申报的不得实施集中。

【释义】　本条是对经营者集中达到国务院规定的申报标准应当事先申报的规定。

经营者集中从法律本质上说，大多数情况下是市场经济条件下市场主体的合同自由行为。但由于经营者集中有可能导致排除和限制竞争，不少国家都对经营者集中有一定的政府管制，主要是采取申报审查制度。从国外的立法和执法实践看，一是采取事前申报；二是采取事后申报；三是采取全部自愿申报，事前事后均可。对前两类申报，一般由国家的法律、法规规定申报标准,达到申报标准的必须申报,即强制申报。我国采用了事前申报的强制申报制度。根据本条的规定,经营者集中达到国务院规定的申报标准的,经营者应当事先向国务院反垄断执法机构申报。未申报的不得实施集中。经营者集中在申报标准以下的,既不需要强制性的事前申报,也不需要事后申报。

经营者集中的申报标准,是参与集中的经营者作为是否申报并接受反垄断审查的法律依据,各国和有关国际组织规定的标准有所不同。比如,欧盟规定,经营者集中各方的全球总营业额为50亿欧元以上和至少两个合并方在欧盟范围的营业额为2.5亿欧元以上就必须事前申报;日本规定,一家公司的总资产超过100亿日元并且另一家公司的总资产超过10亿日元,两者合并和有商务转移时才须申报。本条没有明确规定经营者集中的申报标准,而是授权国务院对经营者集中的申报标准做出规定。

在提请全国人大常委会审议的本法草案中,曾对经营者集中的申报标准做了规定。草案在全国人大常委会审议过程中,有些常委会组成人员和地方、部门、行业协会、企业对这一规定提出不同意见:有的认为申报标准定得过低;有的认为申报标准不宜定得过高;有的建议分行业规定不同的申报标准;有的建议在申报标准中增加经营者所占市场份额等指标。在研究过程中,考虑到申报标准定得过低,企业合并动辄就要申报、审批,不利于国内企业通过兼并做强做大;申报标准定得过高,又不利于防止因过度集中形成垄断。对此,还需进一步研究论证。鉴于各方面对申报标准的意见很不一致，目前又缺乏实践经验，同时考虑到申报标准需要随着经济发展、情况变化加以适时调整，本法以授权国务院做具体规定为妥。据此，本法未对具体标准做出规定，而是授权国务院做出规定并适时调整。

经营者集中达到国务院规定的申报标准的，经营者应当事先向国务院反垄断机构申报，未申报的不得实施集中。这是一条强制性规范，实施集中的经营者不得违反，否则要承担相应的法律责任。还应注意，根据本法的规定，经营者集中的审查权在国务院反垄断执法机构，其他地方执法机构无权对经营者集中进行审查。

第二十二条　经营者集中有下列情形之一的，可以不向国务院反垄断执法机构申报：

（一）参与集中的一个经营者拥有其他每个经营者百分之五十以上有表决权的股份或者资产的；

（二）参与集中的每个经营者百分之五十以上有表决权的股份或者资产被同一个未参与集中的经营者拥有的。

【释义】　本条是对经营者集中的哪些情形可以不向反垄断执法机构申报的规定。

本法规定，经营者集中达到国务院规定的申报标准的，经营者应当事先向国务院反垄断执法机构申报，未申报的不得实施集中。根据本条的规定，在下列两种情况下，经营者集中即使达到申报标准，也不必向反垄断执法机构申报。

一种情况是,参与集中的一个经营者拥有其他每个经营者百分之五十以上有表决权的股份或者资产的。按照我国公司法的规定,可以理解为,参与集中的一个经营者是其他每个经营者的控股股东或实际控制人,这类情况通常是母子公司、集团公司内部以母公司或集团公司牵头进行的股份或资产的一种重新组合,其所在的市场竞争状况并未发生质的变化,不对市场竞争状况发生重大影响或不发生实质性的影响,本条规定,这类情况不需要申报审查。

另一种情况是,参与集中的每个经营者百分之五十以上有表决权的股份或者资产被同一个未参与集中的经营者拥有的。这类情况同样也是母子公司和集团公司的内部重新组合,母公司或集团公司的股份或财产不参与经营者集中,而子公司之间或成员公司彼此之间进行股份和资产的重新组合,不影响或不严重影响市场总体的竞争状态,本条规定不需要申报审查。

需要指出的是,本条规定的两类经营者集中是经济生活中经常发生的事情,其在微观方面可以提高集团公司或母公司的经济效益,扩大其生产经营规模,增加内部运营的合理化并加强了自身的竞争能力,有时也可能减少了名义上的市场竞争对手数量,但从宏观的方面考虑,市场结构未发生根本变化,竞争状况没有因集中而改变,所以,法律规定不对其施加申报审查的义务,更不限制其集中。这也是国际上的通行做法。

第二十三条　经营者向国务院反垄断执法机构申报集中,应当提交下列文件、资料:

(一)申报书;

(二)集中对相关市场竞争状况影响的说明;

(三)集中协议;

(四)参与集中的经营者经会计师事务所审计的上一会计年度财务会计报告;

(五)国务院反垄断执法机构规定的其他文件、资料。

申报书应当载明参与集中的经营者的名称、住所、经营范围、预定实施集中的日期和国务院反垄断执法机构规定的其他事项。

【释义】　本条是对经营者集中申报应当提交文件、资料的规定。

经营者向国务院反垄断执法机构申报集中,应当提交法律规定的文件、资料,便于国务院反垄断执法机构进行审查。本条第一款规定了五类文件、资料,具体如下:

1. 申报书,有的国家采用格式化表格,有的国家没有规定具体的格式,通常是指参与集中的经营者各方的商业注册情况和表明经营者参与集中并提请审查的意愿。本条规定了申报书的必备条款,包括参与集中的经营者的名称、住所、经营范围、预定实施集中的日期和国务院反垄断执法机构规定的其他事项。应当载明而未载明的属于材料提交不完备。

2. 集中对相关市场竞争状况影响的说明,是比较简明的对参与集中的经营者所在的市场竞争状况影响的说明性文字或图表等。比如，减少了的竞争对手数量、集中后所占有的市场份额、地域和产品界定及构成、竞争状况的历史和发展前景等，既可以很详细，也可以概略，具体内容可由国务院反垄断法委员会在反垄断指南中规定，也可以由国务院反垄断执法机构规定。

3. 集中协议。即参与集中的经营者之间订立的合同，应当是合同当事人各方真实意志的体现，遵守法律和行政法规，遵循公平合理、等价有偿、诚实信用的原则，不得造成过度集中、排除限制竞争，不得扰乱社会经济秩序和损害社会公共利益等。从国外的实践看，为了缩短集中时间，加快集中速度，参与集中的经营者往往在集中协议草签阶段即向有关反垄断执法机构申报反垄断审查，在审查过程中，随着协商的不断深入，逐渐形成正式的协议文本。经营者应当在申报审查的同时，先将协议草签稿上报反垄断执法机构，协议正式签订后应立即上报反垄断执法机构。

4. 参与集中的经营者经会计师事务所审计的上一会计年度财务会计报告。这是对参与集中的经营者生产经营的成果和财务状况的总结性书面文件，申报审查时提交这一文件，有利于国务院反垄断执法机构掌握参与集中的经营者的财务会计信息，从而对经营者的竞争能力和实际竞争状况有准确的数字资料和依据，参与集中的经营者应如实提交。

5. 国务院反垄断执法机构规定的其他文件、资料。这是一个兜底条款，因为经营者集中的申报审查牵涉方方面面的问题，法律不可能规定得非常详细，更因为这是一个新的执法领域，法律不可能提前考虑得非常完备，授权国务院反垄断执法机构根据具体情况，规定其他需要的文件、资料，是必要的。

本条第二款对申报书应当载明的内容做出规定，申报书应当载明的内容具有法律强制性。参与集中的经营者名称是经营者区别于其他经营者和市场主体的标志，住所是其主要办事机构所在地。参与集中的经营者的经营范围是指经营者从事的行业和项目种类，是经营者从事业务活动的界限。预定实施集中的日期是指参与集中的经营者协议中所约定的实施集中的日期。最后还有一个兜底条款，国务院反垄断执法机构规定的其他事项，只要有具体规定，都应当具体载明。

第二十四条　经营者提交的文件、资料不完备的，应当在国务院反垄断执法机构规定的期限内补交文件、资料。经营者逾期未补交文件、资料的，视为未申报。

【释义】　本条是对经营者集中提交补充文件、资料的规定。

本条是程序性规定，前面的条文要求参与集中的经营者向国务院反垄断执法机构申报集中，应当提交规定的文件、资料。由于文件、资料数量较多，并且对内容也有一定的要求，如果经营者提交的文件、资料不完备，也就是根据法律和有关规定的文件、资料数量不够，缺少规定所要求的项目，或者文件、资料的内容不符合法律和规定的内容，即为提交的文件、资料不完备，应当在国务院反垄断执法机构规定的期限内补充文件、资料。这种补充，也是按照规定要求的数量和内容并且在规定的期限内继续提交。经营者逾期未补充文件、资料的，视为未申报。即由于参与集中的经营者逾期未补充有关材料，导致该申报未依法完成，视为未申报。

第二十五条　国务院反垄断执法机构应当自收到经营者提交的符合本法第二十三条规定的文件、资料之日起三十日内，对申报的经营者集中进行初步审查，作出是否实施进一步审查的决定，并书面通知经营者。国务院反垄断执法机构作出决定前，经营者不得实施集中。

国务院反垄断执法机构作出不实施进一步审查的决定或者逾期未作出决定的，经营者可以实施集中。

【释义】　本条是对国务院反垄断执法机构初步审查申报的经营者集中的规定。

国务院反垄断执法机构自收到经营者依法提交的文件、资料后，就应当尽快决定其是否批准这次经营者集中。这一方面是为了尽早结束经营者集中协议实施的不确定状态，便于经营者安排自己的经营事业；另一方面作为审查机构的反垄断执法机构面临纷繁复杂的经营者集中问题，又应当有足够的时间进行审查。所以一些国家通常将经营者集中审查分为两个阶段，即初步审查和进一步审查。初步审查阶段通常为一个月左右，反垄断执法机构对经营者集中是否对竞争造成威胁进行初步审查，本条也是这样规定的，初步审查阶段是三十天，与一些国家的规定大致相同。初步审查导致两种结果，一是情况清楚，经营者参与的集中对竞争没有影响或影响不大，不需要进一步审查，反垄断执法机构做出决定并书面通知申报参与集中的经营者，可以进行经营者集中；二是反垄断执法机构认为该集中有可能影响竞争或对竞争造成威胁，将开始进行进一步审查，反垄断执法机构也应做出决定并书面通知申报集中的经营者。在国务院反垄断执法机构做出上述决定前，经营者不得实施集中。

本条第二款规定，国务院反垄断执法机构做出不实施进一步审查的决定或者逾期未做出决定的，经营者可以实施集中。本条款是为保护参与集中的经营者的利益而做出的规定，根据本条第一款的规定，一般来说，法律要求国务院反垄断执法机构在初步审查的三十日内做出是否实施进一步审查的决定，如果国务院反垄断执法机构按期做出不实施进一步审查的决定，经营者可以实施集中；如果国务院反垄断执法机构未按期做出是否实施进一步审查的决定，为了保护经营者集中的权利，避免因执法机关的原因导致集中不能进行，法律直接规定在这种情况下，经营者可以实施集中。从国外经营者集中审查的实践看，有时经营者集中的申报很多，但绝大多数对竞争没有影响或者影响不大，应允许集中，国外一般将初步审查期作为集中的等待期，期限届满，只要反垄断执法机构不做出进一步审查的决定，即视为反垄断执法机构已同意集中。这有利于加快执法机构的审查速度，提高审查效率，同时，也在一定程度上也减少了执法成本。

第二十六条　国务院反垄断执法机构决定实施进一步审

查的，应当自决定之日起九十日内审查完毕，作出是否禁止经营者集中的决定，并书面通知经营者。作出禁止经营者集中的决定，应当说明理由。审查期间，经营者不得实施集中。

有下列情形之一的，国务院反垄断执法机构经书面通知经营者，可以延长前款规定的审查期限，但最长不得超过六十日：

（一）经营者同意延长审查期限的；

（二）经营者提交的文件、资料不准确，需要进一步核实的；

（三）经营者申报后有关情况发生重大变化的。

国务院反垄断执法机构逾期未作出决定的，经营者可以实施集中。

【释义】 本条是对经营者集中进一步审查的程序的规定。

国务院反垄断执法机构对申报的经营者集中进行初步审查之后，如果在三十日内做出实施进一步审查的决定，则该集中进入进一步审查程序。该程序是经营者集中的主要审查程序，对审查集中是否具有排除、限制竞争的效果至关重要。因此，本条对进一步审查的程序做了具体规定。

1. 审查期限。为了使进行集中申报的经营者尽快消除集中的不确定性，防止贻误集中的时机、影响经济运行的效率，审查期限不应过长；但从另一方面来讲，如果审查期限太短，反垄断执法机构没有足够的时间对集中进行审查，很难充分评估集中对竞争产生的影响，也就不能科学地对集中做出禁止或不予禁止的决定,因此审查期限也不能太短。而凡是进入进一步审查程序的集中,一般都会对市场竞争有着较大的影响,与初步审查程序相比需要进行更加详尽、细致的审查,审查期限也要相应地延长。因此,本条规定,反垄断执法机构决定实施进一步审查的,应当自决定之日起九十日内审查完毕,做出是否禁止经营者集中的决定。

此外,集中的审查是专业性很强、要求很高、十分复杂的行政活动,因此集中的审查期限也要具有一定的灵活性,从而确保反垄断执法机构做出的决定符合市场的竞争状况。为此,本条规定,在符合法定情形的前提下,反垄断执法机构经书面通知经营者,可以延长审查期限。为了防止执法机构滥用延长审查期限的制度,保护参与集中的经营者的合法利益,本法做出了两项限制性规定:一是对延长审查期限的三种情形做出了明确规定,即经营者同意延长审查期限的;经营者提交的文件、资料不准确,需要进一步核实的;经营者申报后,有关情况发生重大变化的。凡是不属于这三种情形之一的,反垄断执法机构不能延长审查期限,必须在九十日的期限内审查完毕,做出是否禁止经营者集中的决定。二是对延长的期限的上限做出了规定,即最长不得超过六十日。

2. 对反垄断执法机构做出的决定的要求。反垄断执法机构做出的决定,对参与集中的经营者有着重大的影响。如果反垄断执法机构做出不予禁止的决定,经营者可以按照协议尽快实施集中。如果反垄断执法机构做出禁止的决定,经营者不能再按照原定的计划实施集中;违法实施集中的,还要根据本法规定承担较为严重的法律责任。因此,本法对反垄断执法机构规定了三项法定的义务。一是将做出的决定书面通知经营者。一方面,使经营者可以尽快解除不确定的状态,根据书面决定做出相应的调整;另一方面,经营者如果对禁止集中的决定不服,书面决定也是向反垄断执法机构提出行政复议的必要材料。二是对禁止集中的决定说明理由。反垄断执法机构在经营者集中的审查中有着较大的自由裁量权,做出的决定对参与集中的经营者的利益有着重大的影响。为了确保反垄断执法机构不滥用权力,促使审查经营者集中的工作人员尽职尽责,保护参与集中的经营者的合法权益,本法规定反垄断执法机构做出禁止经营者集中的决定,应当说明理由。三是在本法规定的审查期限内做出决定。反垄断执法机构一般应当在九十日内完成进一步审查程序,如果有延长审查期限的情形,应当在一百五十日内完成进一步审查程序,并做出是否禁止经营者集中的决定。为了提高反垄断执法机构的审查效率,保护参与集中的经营者的合法利益,本法规定,反垄断执法机构逾期未做出决定的,经营者可以实施集中。

3. 审查期间,经营者不得实施集中。进一步审查期间和初步审查期间一样,都属于“等待期间”。如果在反垄断执法机构没有做出决定前,经营者就实施了集中,而该集中将对市场竞争产生严重的排除、限制影响的,尽管反垄断执法机构可以依照本法规定做出责令违法实施集中的经营者限期处分股份、资产,转让营业甚至采取拆分等措施,但成本很高,对整个社会资源是较大的浪费。因此,本法第二十五条和第二十六条都规定，审查期间，经营者不得实施集中。

第二十七条　审查经营者集中，应当考虑下列因素：

（一）参与集中的经营者在相关市场的市场份额及其对市场的控制力；

（二）相关市场的市场集中度；

（三）经营者集中对市场进入、技术进步的影响；

（四）经营者集中对消费者和其他有关经营者的影响；

（五）经营者集中对国民经济发展的影响；

（六）国务院反垄断执法机构认为应当考虑的影响市场竞争的其他因素。

【释义】　本条是对审查经营者集中应当考虑的因素的规定。

反垄断执法机构审查经营者集中，关键是审查该集中是否具有或者可能具有排除、限制竞争的效果，从而对经营者集中做出禁止或者不予禁止的决定。为了便于反垄断执法机构对经营者集中排除、限制竞争的效果进行科学的分析和正确的定性，本条对审查经营者集中应当考虑的因素做了具体规定。

1. 参与集中的经营者在相关市场的市场份额及其对市场的控制力。从其他国家的反垄断执法经验来看，经营者在相关市场的市场份额越大，对市场的控制力就越大，就越有能力自主决定在市场上的交易条件，就越有可能排挤竞争对手或者损害消费者的利益。为了避免集中产生排除、限制竞争的后果，维护有效竞争的市场结构，本条将参与集中的经营者在相关市场的市场份额及其对市场的控制力作为审查经营者集中的因素之一。

2. 相关市场的市场集中度。市场集中度与市场支配地位有着密切的联系，市场集中度越高，产生或者加强市场支配地位的可能性也就越大，具有排除或者限制竞争效果的可能性也会越大。与市场份额相比，市场集中度比较全面、精确地分析了市场结构，可以更加科学、合理地反映经营者集中对市场竞争的影响。因此，不少国家和地区的反垄断执法机构将市场集中度作为审查经营者集中最为重要的标准之一。目前国外有一种比较便捷的测算市场集中度的方法，被称为赫尔芬达尔－赫尔斯曼指数（简称 HHI），即将相关市场上所有参与者各自的市场份额平方后再相加计算得出。根据这种测算方法，反垄断执法机构将相关市场的市场集中度分为三种状态：（1）HHI 不足 1000 点为没有形成集中的市场，在该市场上的集中不具有排除、限制竞争的效果。（2）集中后的 HHI 在 1000 点和 1800 点之间，该市场为中度集中的市场；在该市场上，如果集中使市场的 HHI 较集中前提高了不足 100 点，集中不具有排除、限制竞争的效果；反之，集中可能会严重地影响有效竞争。（3）集中后的 HHI 达到 1800 点以上，该市场为高度集中的市场；在该市场上，如果集中使市场的 HHI 较集中前提高了不足 50 点，该集中不具有排除、限制竞争的效果；反之，该集中可能会严重地影响有效竞争。

3. 经营者集中对市场进入、技术进步的影响。市场进入的难度直接决定了申报集中的经营者是否存在潜在的竞争者。集中后的经营者即使取得或者加强了市场支配地位，可能实施排除、限制竞争的行为，比如降低产量、抬高价格、强制交易等，如果相关市场没有或者只有很低的进入障碍，潜在的竞争者很快就会进入这个市场，抢占市场份额，形成市场竞争格局。相反，如果经营者集中的结果大大抬高了潜在竞争者的市场进入门槛，则会增加排除、限制竞争的因素。因此，对市场进入的影响是审查经营者集中一个重要的因素。而技术创新与进步则是经济增长的决定性因素，对于增强国家的经济实力和改善人民的物质生活水平具有重要的意义。因此，为了保持市场的竞争性，防止集中后的经营者在没有竞争压力的情况下失去危机感，不再有技术创新的动力去降低产品成本、提高产品质量，反垄断执法机构在进行经营者集中审查时，也要考虑对技术进步的影响。

4. 经营者集中对消费者和其他有关经营者的影响。经营者集中是否具有或者可能具有排除、限制竞争的效果，除了通过市场份额、市场集中度等因素进行分析，还可以通过对消费者和其他有关经营者的影响反映出来。如果集中的结果是降低了产品价格，提高了产品质量，使得消费者从中获得利益，而且对同行业竞争者、上下游经营者的市场进入、交易机会等竞争条件没有产生实质性的影响，那么该集中一般不具有排除、限制竞争的效果。但需要注意的是，审查经营者集中对消费者和其他有关经营者的影响时，不仅要考虑集中后的短期影响，更要考虑长期影响。

5. 经营者集中对国民经济发展的影响。对经营者集中进行审查的根本目的是保护竞争和防止垄断,维护竞争性的市场结构。从短期看,竞争将推动经营者降低产品的成本和价格,改进产品的质量和服务;从长期看,竞争则会有效地调节市场的供求,优化配置资源,从而促进和推动国民经济的健康发展。因此,审查经营者集中考虑对国民经济发展的影响是合理的。我国是一个发展中国家,市场经济体制正在建立和完善的过程中,经济水平和发达国家存在较大差距,产业结构、产业集中度和企业规模结构都还存在不合理,因此,促进社会主义市场经济健康发展,既要充分发挥反垄断法的重要作用,又要有效地实施产业政策和其他经济政策,促进特定行业的发展,优化我国的产业结构和企业规模结构。因此,审查经营者集中,必须统筹协调反垄断法与实施国家产业政策和其他经济政策的关系,不仅要考虑集中对市场竞争的影响,也要考虑集中对国民经济发展的影响。

6. 国务院反垄断执法机构认为应当考虑的影响市场竞争的其他因素。随着经济的发展、技术的进步和反垄断执法经验的积累,审查经营者集中所应当考虑的因素还会不断地丰富。因此,本条授权国务院反垄断执法机构还可以在执法实践中认定应当考虑的影响市场竞争的其他因素。

第二十八条　经营者集中具有或者可能具有排除、限制竞争效果的,国务院反垄断执法机构应当作出禁止经营者集中的决定。但是,经营者能够证明该集中对竞争产生的有利

影响明显大于不利影响，或者符合社会公共利益的，国务院反垄断执法机构可以作出对经营者集中不予禁止的决定。

【释义】 本条是对经营者集中做出禁止和豁免决定的规定。

经营者集中是经济活动中的常见现象，是经营者扩大规模、拓展现有市场或者进入新的市场、从事新的经济活动的一种方式。经营者集中有利有弊。不少经营者集中能够实现资源重组，形成规模经济，改善经济效益，提高经营者在市场上的竞争力，从而给竞争和消费者带来好处。但经营者集中也可能减少相关市场的竞争，产生或者加强经营者的市场支配地位，从而导致商品的供应减少，价格提高，质量降低，阻碍市场进入和技术进步，损害消费者的利益。因此，本法原则上将具有或者可能具有排除、限制竞争效果作为禁止经营者集中的判断标准，从而保护竞争的市场结构，确保相关市场的有效竞争。

从其他一些国家反垄断立法和执法经验看，即使对一些产生或者加强市场支配地位，具有排除、限制竞争效果的经营者集中，也不都是绝对地予以禁止。因为事物都具有双重性，集中也有着积极因素和消极因素两个方面，一方面有利于形成规模经济，提高经营者的竞争力；另一方面又可能产生或者加强市场支配地位，对市场竞争产生不利影响。在这种情况下，反垄断执法机构应当对每一个具体的经营者集中的利弊进行比较和衡量，如果集中的利大于弊，集中应当得到批准，以保护经营者的合法权益和市场经济的健康发展，同时鼓励经营者依法实施集中，做大做强，扩大经营规模，提高市场竞争能力。为了提高反垄断执法机构的审查效率，充分发挥经营者的积极性，本条规定由经营者承担举证责任来证明集中的利大于弊。经营者证明的具体方式有两种：一种是集中对竞争产生的有利影响明显大于不利影响。反垄断执法机构审查经营者集中，关键是审查该集中对市场竞争的影响，因此如果集中对竞争产生的有利影响明显大于不利影响，则可以得到豁免。另一种是集中符合社会公共利益。维护社会公共利益是本法的立法目的之一。某项经营者集中虽然具有或者可能具有排除、限制竞争的效果，但符合社会公共利益，如有利于在相当大的程度上促进就业，明显推动技术进步、增强国际竞争力等，也可以得到豁免。

第二十九条　对不予禁止的经营者集中，国务院反垄断执法机构可以决定附加减少集中对竞争产生不利影响的限制性条件。

【释义】　本条是对不予禁止的经营者集中附加限制性条件的规定。

国务院反垄断执法机构不予禁止的经营者集中，虽然对竞争产生的有利影响明显大于不利影响，或者符合社会公共利益，但或多或少仍会对竞争产生不利的影响。为了使集中对竞争产生的不利影响降低到最小的程度，充分地保护和促进市场竞争，本条规定，国务院反垄断执法机构对不予禁止的经营者集中，可以决定附加减少集中对竞争产生不利影响的限制性条件。对不予禁止的集中附加限制性条件是世界各国反垄断执法机构审查经营者集中常用的一种方式,绝大多数申报后被审查发现具有反竞争效果的集中,都附加一定的限制性条件才被批准。但为了保护经营者的合法利益,防止反垄断执法机构滥用权力,这些限制性条件必须与竞争因素紧密相关,即为了减少集中对竞争产生的不利影响,不能无限扩大限制性条件的范围。从其他国家获得批准的经营者集中案例来看,减少集中对竞争产生不利影响的限制性条件主要是资产剥离。美国联邦贸易委员会和司法部 1999 年至 2000 年共受理经营者集中 55,996 件,其中附加了资产剥离条件而被批准的集中 16,933 件,比率高达 30%。2000 年是欧盟有关资产剥离的通告发布的第一年,也是资产剥离率最高的一年,欧盟委员会当年总共做出了 345 项经营者集中的决定,其中有 321 项是在初步审查阶段就批准的,这其中有 293 项是无条件批准的,其余的 28 项全部是以资产剥离方式获得批准的;在 17 项进入进一步审查阶段的案件中,有 12 项以资产剥离的方式获得批准,2 项被禁止,另外 3 项被无条件批准。由此可见,美国、欧盟所做出的关于经营者集中的决定中,除绝大多数以无条件批准结案外,其余的案件中以附加资产剥离条件的方式结案的占绝大多数,只有少数的案件获得无条件批准或者被禁止。除了资产剥离外,实践中比较常见的限制性条件还包括要求集中后的经营者允许竞争者有偿使用其重要设施或知识产权,采取措施保障竞争者的独立性,退出部分经营的领域等。

第三十条　国务院反垄断执法机构应当将禁止经营者集中的决定或者对经营者集中附加限制性条件的决定,及时向社会公布。

【释义】 本条是对经营者集中的审查结果进行公开的规定。

公开是现代行政程序中的一项重要原则。公开的本意是不加隐蔽,行政程序中的公开,其基本含义是政府行为除依法应当保密的以外,应一律公开进行;行政法规、规章、行政政策以及行政机关做出影响行政相对人权利、义务的行为的标准、条件、程序应当依法公布,允许相对人依法查阅、复制;有关行政会议、会议决议、决定以及行政机关及其工作人员的活动情况应允许新闻媒介依法采访、报道和评论。公开的主要要求包括两点:一是执法依据公开;二是行政行为公开。公开是一种手段,只有公开才能促进公平、公正的实现,“暗箱操作”是没有公平、公正可言的。而公开的实现,必须通过程序来实现和保障,没有法定的程序,公开既无法实现,也没有判断标准。

反垄断执法机构审查经营者集中作为行政行为的一种,也要遵循公开的原则。反垄断执法机构对经营者集中进行审查后做出的决定共有四种,分别为对经营者集中不实施进一步审查的决定、对经营者集中不予禁止的决定、禁止经营者集中的决定和对经营者集中附加限制性条件的决定。由于后两种决定不仅涉及参与集中的经营者的利益,而且对消费者和其他经营者的利益有重要影响,为了确保这两种决定的公平、公正、科学、合理,本法规定必须公开,并及时向社会公布。而前两种决定一般仅涉及参与集中的经营者的利益，对消费者和其他经营者的利益没有实质性的影响，本法没有规定必须公开，反垄断执法机构可以根据实际的需要向社会公布。这一规定有助于保护申报集中的经营者的合法权益，帮助上下游或者同行业的其他经营者理解、把握反垄断执法机构的集中审查标准和竞争政策，从而提高反垄断执法机构的行政效率，增强反垄断执法的透明度。

第三十一条　对外资并购境内企业或者以其他方式参与经营者集中，涉及国家安全的，除依照本法规定进行经营者集中审查外，还应当按照国家有关规定进行国家安全审查。

【释义】　本条是关于经营者集中的反垄断审查同国家安全审查的衔接性规定。

随着我国经济的发展和对外开放的进一步扩大，外资并购我国国内企业的数量也在增长。我们在继续坚持对外开放的方针，积极有效利用外资的同时，也要重视外资并购对我国国家安全的影响，从法律、政策等多方面采取有效措施加以防范。对外资并购我国国内企业或者以其他方式进行经营者集中，除了要依照本法关于经营者集中的规定进行反垄断审查外，对可能影响国家安全的，还要依照国家有关外商投资市场准入等方面的规定进行国家安全等项审查。这也是美国等一些发达国家实际采取的做法。我国也已初步建立了对外资并购的国家安全审查制度。国务院制定的《指导外商投资方向规定》中明确规定，禁止外商投资“危害国家安全或者损害社会公共利益”的项目以及“运用我国特有工艺或者技术生产产品”的项目。商务部等六部门于2006年8月联合发布的《关于外国投资者并购境内企业的规定》中明确规定,“外国投资者并购境内企业取得实际控制权,涉及重点行业,可能影响国家经济安全的,或者并购导致拥有驰名商标或中华老字号的境内企业实际控制权转移的”,须向商务部申报审查。今后对外资并购我国国内企业的国家安全审查制度还将逐步完善。为使本法关于对经营者集中实行反垄断审查的规定与国家有关对外资并购实行国家安全审查的规定相衔接,本条做了上述规定。

第五章　滥用行政权力排除、限制竞争

第三十二条　行政机关和法律、法规授权的具有管理公共事务职能的组织不得滥用行政权力，限定或者变相限定单位或者个人经营、购买、使用其指定的经营者提供的商品。

【释义】　本条是对行政机关和法律、法规授权的具有管理公共事务职能的组织不得滥用行政权力指定经营者的规定。

行政机关和法律、行政法规授权的具有管理公共事务职能的组织行使行政权力，应当严格依法办事，不得违反法律、法规的规定，滥用权力，排除、限制竞争。实践中滥用行政权力排除、限制竞争的行为有多种表现形式，本条列举了一种，并明确予以禁止，即限定或者变相限定单位或者个人经营、购买、使用其指定的经营者提供的商品。这里的限定和变相限定表现形式也有多种，都有一定的强制性，比如，有的通过制定行政规范性文件强制限定或变相限定，有的是在有一定垄断或资源稀缺性质的行业搞强制限制或变相限制。这些都在本条规定的禁止之列。

第三十三条　行政机关和法律、法规授权的具有管理公

共事务职能的组织不得滥用行政权力，实施下列行为，妨碍商品在地区之间的自由流通：

（一）对外地商品设定歧视性收费项目、实行歧视性收费标准，或者规定歧视性价格；

（二）对外地商品规定与本地同类商品不同的技术要求、检验标准，或者对外地商品采取重复检验、重复认证等歧视性技术措施，限制外地商品进入本地市场；

（三）采取专门针对外地商品的行政许可，限制外地商品进入本地市场；

（四）设置关卡或者采取其他手段，阻碍外地商品进入或者本地商品运出；

（五）妨碍商品在地区之间自由流通的其他行为。

【释义】 本条是对行政机关和法律、法规授权的具有管理公共事务职能的组织不得滥用行政权力，妨碍商品在地区之间的自由流通的规定。

行政机关和法律、法规授权的具有管理公共事务职能的组织行使行政权力，必须依法办事，不得滥用行政权力，排除、限制市场竞争。本条禁止行政机关和法律、法规授权的具有管理公共事务职能的组织滥用行政权力，实施妨碍商品在地区之间的自由流通的行为。

实行社会主义市场经济，需要在全国范围内建立健全统一、开放、竞争、有序的现代市场体系。但有的地方政府及其部门和有的法律、法规授权的具有管理公共事务职能的组织，违反法律和国务院的规定，滥用行政权力，采取不正当的方式阻碍商品在地区之间的自由流通，损害了全国统一市场的形成。本条规定了这种行为的表现形式，在法律上明确予以禁止。

1. 对外地商品设定歧视性收费项目、实行歧视性收费标准，或者规定歧视性价格。外地商品是指非本地企业和个人生产、加工、制造的商品。外地商品通过市场流动到本地销售，本地行政机关和法律、法规授权的具有管理公共事务职能的组织对待外地商品，本来应当与在本地生产、加工制造的商品一视同仁，进行依法收费或价格管理，但当地行政机关和法律、法规授权的具有管理公共事务职能的组织滥用行政权力，增加额外的收费项目或者对同一收费项目采取不同的收费标准，或者规定与本地商品不同的歧视性价格，使外地商品在当地的流通中增加了额外成本，处于不利的竞争地位，从而排除和限制了公平竞争，妨碍了商品在地区间的自由流通，本条加以禁止。

2. 对外地商品采取与本地同类商品不同的技术要求、检验标准，或者对外地商品采取重复检验、重复认证等歧视性技术措施，限制外地商品进入本地市场。有的地方行政机关或法律、法规授权的具有管理公共事务职能的组织，违反国家有关规定，对外地商品采取与本地商品不同的技术要求、检验标准，对外地商品进入本地市场设置不合理的技术壁垒，实行歧视性待遇，使外地商品难以进入当地市场。有的地方的行政机关和法律、法规授权的具有管理公共事务职能的组织，不承认外地的合法的商品检验结果或认证机构依法出具的相关证书或证明,要求外地商品必须在当地有关机构重复检验或认证,增加了外地商品的经济负担,有可能导致外地商品错过销售时机,破坏了法制和市场的统一,其后果严重,本条加以禁止。

3. 采取专门针对外地商品的行政许可,限制外地商品进入本地市场。行政许可是指行政机关根据公民、法人或者其他组织的申请,经依法审查,准予其从事特定活动的行为。按照本条规定,不允许采取专门针对外地商品的行政许可措施,限制外地商品进入本地市场。本条禁止这类滥用行政权力的地方保护主义。

4. 设置关卡或者采取其他手段,阻碍外地商品进入或者本地商品运出。实践中,一些地方的行政机关和法律、法规授权的具有管理公共事务职能的组织,采取设置关卡或者其他手段,阻碍外地商品进入或者本地商品运出。本条对此明确予以禁止。

5. 妨碍商品在地区之间流通的其他行为。

第三十四条　行政机关和法律、法规授权的具有管理公共事务职能的组织不得滥用行政权力,以设定歧视性资质要求、评审标准或者不依法发布信息等方式,排斥或者限制外地经营者参加本地的招标投标活动。

【释义】　本条是对禁止行政机关和法律、法规授权的具有管理公共事务职能的组织在招标投标活动中滥用行政权力,搞地方保护的规定。

我国实行社会主义市场经济,必须在全国范围内建立起统一、开放、竞争、有序的大市场。任何以地方保护、部门垄断等方式分割市场的行为,都会缩小市场规模,降低市场效率,阻碍经济的发展,是与我们建立和发展社会主义市场经济的目标背道而驰的。我国大力推行招标投标制度,就是为了充分发挥市场竞争机制在公共资金采购中的作用。如果在招标投标活动中搞地方保护,必然会大大缩小竞争规模,充分竞争的优越性难以得到发挥,使招标投标的作用大打折扣。我国目前正处于向市场经济转轨的阶段,由于多种原因,一些地方的行政机关和法律、法规授权的具有管理公共事务职能的组织滥用行政权力,违反市场经济的客观要求,实行地方保护的情况时有发生。这种现象也明显表现在招标投标活动中,成为影响我国招标投标健康发展的一个突出问题。一些地方的行政机关和法律、法规授权的具有管理公共事务职能的组织,采取对本地区以外的承包商或供应商设定歧视性资质要求、评审标准或者不依法发布信息等方式,排斥、限制本地区以外的经营者参加本地区的投标竞争。有的地方的行政机关和法律、法规授权的具有管理公共事务职能的组织甚至直接要求本地区的采购单位只能将采购项目交给属于本地区的单位,本地区以外的单位不得参与本地区采购项目的投标。有的地方行政机关和法律、法规授权的具有管理公共事务职能的组织的工作人员则在项目采购中搞权钱交易,以权谋私,收受不法供应商、承包商的好处,利用手中的权力,干预正常的招标投标活动,要求所属的采购单位将采购项目交给其指定的供应商、承包商。在招标投标活动中实行地方保护的做法，以及部分行政机关和法律、法规授权的具有管理公共事务职能的组织的领导人违法干预正常的招标投标活动的做法，破坏了市场的统一性，违反了公平竞争的原则，严重影响招标投标活动的正常开展，也给腐败行为留下可乘之机。为此，本条明确予以禁止。

第三十五条　行政机关和法律、法规授权的具有管理公共事务职能的组织不得滥用行政权力，采取与本地经营者不平等待遇等方式，排斥或者限制外地经营者在本地投资或者设立分支机构。

【释义】　本条是对滥用行政权力排斥或者限制外地经营者在本地投资或者设立分支机构的禁止性规定。

地区封锁是指地方政府或者其职能部门通过行政权力建立起市场壁垒的行为。根据国务院《关于禁止在经济活动中实施地区封锁的决定》的规定，任何单位或者个人违反法律、行政法规和国务院的规定，以任何方式阻挠、干预外地产品进入或者工程建设类服务进入本地市场，或者对阻挠、干预外地产品或者服务进入本地市场的行为纵容、包庇，限制公平竞争，都属于经济活动中的地区封锁的行为。行政机关和法律、法规授权的具有管理公共事务职能的组织滥用行政权力排除、限制竞争，除包括限制外地商品流入本地市场，或者本地商品流入外地市场这些涉及商品流通的地域性限制外，还包括对资金、技术、人员流动和企业跨地区联合的限制等。本条是对行政机关和法律、法规授权的具有管理公共事务职能的组织滥用行政权力排斥或者限制外地经营者在本地投资或者设立分支机构做出的禁止性规定。

行政机关和法律、法规授权的具有管理公共事务职能的组织阻碍、限制外地经营者在本地投资或者设立分支机构的目的是，保护本地经营者的利益，使外地经营者无法对本地经营者形成挑战，排斥、限制正常的竞争，其结果会使可竞争的统一市场转变为趋向垄断的市场结构，破坏比较优势，保护落后，最终也不利于本地区经济的发展，同时通过行政权力实施地区封锁的过程中也极易官商勾结，滋生腐败。为此，本条明确规定予以禁止。

第三十六条　行政机关和法律、法规授权的具有管理公共事务职能的组织不得滥用行政权力，强制经营者从事本法规定的垄断行为。

【释义】　本条是对行政机关和法律、法规授权的具有管理公共事务职能的组织不得滥用行政权力，强制经营者从事本法规定的垄断行为的规定。

我国实行社会主义市场经济，应当在国家宏观调控指导下，充分发挥市场配置资源的基础性作用。而作为市场主体的经营者之间的公平竞争，是实现优化资源配置，完善市场结构，增进消费者福利的动力。行政机关和法律、法规授权的具有管理公共事务职能的组织滥用行政权力，强制经营者从事本法规定的垄断行为的做法，违反了建立和完善社会主义市场经济体制的要求，侵害了经营者依法享有的经营自主权，也会损害消费者的合法权益。本条明确规定对此予以禁止。

行政机关和法律、法规授权的具有管理公共事务职能的组织滥用行政权力，强制经营者从事本法规定的垄断行为与经营者自发的垄断行为存在以下不同：(1)实施主体不同。后者的主体是市场经济的主要参与者——经营者；而前者的主体表面上是经营者，实质上是行政机关和法律、法规授权的具有管理公共事务职能的组织。(2)目的不同。后者的目的是追求企业自身的经济利益；而前者的实施主体则在谋求本地区、本部门等经济利益的同时，还可能附带自身的经济的和非经济的利益。(3)是否属于企业的自愿行为不同。后者是经营者自愿的逐利行为；前者则是在行政权力拥有者主导下的强制行为，未必符合经营者的经济利益，经营者往往是非自愿的。(4)危害性不同。前者虽然已经严重危害市场竞争，但是，后者具有超经济的强制性和排斥竞争的封闭性，往往具有更大的危害性。所以，对行政机关和法律、法规授权的具有管理公共事务职能的组织滥用行政权力，强制经营者从事本法规定的垄断行为的行为，更要加以关注，坚决予以反对，依法进行查处。当然，要解决这一问题，还需要更多方面的努力，包括加强行政法制建设，强化科学行政、依法行政意识，树立正确的政绩观，摆正行政机关和法律、法规授权的具有管理公共事务职能的组织的角色定位等。

第三十七条　行政机关不得滥用行政权力，制定含有排

除、限制竞争内容的规定。

【释义】 本条是禁止行政机关以抽象行政行为排除、限制竞争的规定。

实践中,行政机关不仅可能通过具体行政行为滥用行政权力,排除、限制竞争,而且还可能以抽象行政行为的方式滥用行政权力,排除、限制竞争。抽象行政行为是指以不特定的人或事为对象制定具有普遍约束力的规范性文件的行为。行政机关以抽象行政行为排除、限制竞争,是指行政机关滥用行政权力,在其发布的有约束力的规范性文件中制定含有排除、限制竞争内容的规定。与以具体行政行为排除、限制竞争相比,以抽象行政行为排除、限制竞争有以下特点:第一,针对的对象是不特定的人或者事;第二,其效力具有普遍性;第三,该规定可以反复适用,而不是只适用一次;第四,该行为通常创立了一种新的行为模式。因此,采用抽象行政行为的方式排除、限制竞争往往影响面更广、副作用更大。为此,本条对行政机关滥用行政权力,制定含有排除、限制竞争的规范性文件的行为,明确予以禁止。

第六章 对涉嫌垄断行为的调查

第三十八条 反垄断执法机构依法对涉嫌垄断行为进行调查。

对涉嫌垄断行为,任何单位和个人有权向反垄断执法机构举报。反垄断执法机构应当为举报人保密。

举报采用书面形式并提供相关事实和证据的,反垄断执法机构应当进行必要的调查。

【释义】 本条是对反垄断执法机构的调查权和保密义务的规定。

垄断是复杂的社会现象,反垄断法的规定多属于比较抽象和富有弹性的规则,其解释和适用往往需要结合具体的经济和竞争状况进行恰当的利益衡量。因此,反垄断执法具有很强的专业化特点,需要赋予反垄断执法机构相应的执法权。反垄断执法机构执法权的内容,既涉及程序上的权力,又涉及实体上的权力。本条第一款赋予反垄断执法机构调查涉嫌垄断行为的权力属于程序上的权力。

对垄断行为的监督,除依靠反垄断执法机构外,还需要发挥社会力量的作用。本条第二款规定了任何单位和个人对涉嫌垄断行为都有权举报。社会公众分散在社会和市场的各个领域，而垄断行为的影响也会分散在社会和市场的各个方面。公众往往是垄断活动最广泛、最直接的感受者、发现者。因此，社会力量是反垄断执法机构最好的辅助监督力量。反垄断执法机构作为行政管理机关，在日常的行政管理活动中，应当依靠社会、依靠群众，才能做好工作。同时，为了保护举报人的安全，保证举报人的积极性，反垄断执法机构对举报人要注意保密。

反垄断执法机构对单位和个人就涉嫌垄断行为的举报，要及时进行核实和处理。举报采取书面形式并提供相关事实和证据的，表明举报情况可信程度较高，实施垄断行为的可能性较大，本条明确要求反垄断执法机构应当进行必要的调查。

第三十九条　反垄断执法机构调查涉嫌垄断行为，可以采取下列措施：

（一）进入被调查的经营者的营业场所或者其他有关场所进行检查；

（二）询问被调查的经营者、利害关系人或者其他有关单位或者个人，要求其说明有关情况；

（三）查阅、复制被调查的经营者、利害关系人或者其他有关单位或者个人的有关单证、协议、会计账簿、业务函电、电子数据等文件、资料；

（四）查封、扣押相关证据；

（五）查询经营者的银行账户。

采取前款规定的措施，应当向反垄断执法机构主要负责

人书面报告，并经批准。

【释义】 本条是对反垄断执法机构调查时有权采取有关措施的规定。

依照本条规定，反垄断执法机构有权采取的措施包括：

1. 对经营者的有关场所进行检查。一旦经营者有涉嫌垄断行为的情况，反垄断执法机构就需要在查清事实、了解真相的基础上确定该行为是否构成垄断行为，并依法对垄断行为进行处理。查明事实的重要途径之一，是到涉嫌垄断行为的发生场所进行实地检查，因此本条规定反垄断执法机构有权进入被调查的经营者的经营场所或者其他有关场所进行检查，以获取有关证据，便于为依法确认和处理有关的违法活动提供事实依据。反垄断执法机构在行使现场检查权时，也要注意遵守有关行政程序的法律规定，防止出现侵犯被检查的经营者合法权益的情况。

2. 询问有关单位和个人。反垄断执法机构要了解事实真相，就应当从各个角度进行调查，其中包括询问当事人和被调查事件有关的单位和个人，要求他们对被调查事件有关的事项做出说明，然后去伪存真，真正做到处理决定以事实为依据。

3. 查阅、复制有关单证、协议等文件、资料。本条赋予反垄断执法机构查阅、复制被调查的经营者及相关单位和个人的有关单证、协议、会计账簿、业务函电、电子数据等文件、资料的权力，有利于了解被调查的经营者的相应经济活动、业务往来、资金流向等，取得相关证据，以确认被调查对象的行为是否违法,以利于案件的正确处理。

4. 查封、扣押相关证据。为了查明事实,保存证据,防止隐匿、损毁有关的文件和资料等证据,反垄断执法机构有权查封、扣押相关证据。对有可能被有关单位和个人隐藏或者可能被销毁、损坏,使今后查找有困难的证据,反垄断执法机构可以及时予以查封、扣押。

5. 查询经营者的银行账户。通过查询有关的资金账户,可以了解经营者的经济活动状况,以利于发现违法行为。为此,本条赋予反垄断执法机构查询经营者的银行账户的权力。

为了保证反垄断执法机构及其工作人员正当行使调查权力,防止权力被滥用,损害被调查对象的合法权益,本条第二款规定,采取本条第一款规定的各项调查措施,应当向反垄断执法机构主要负责人书面报告,经批准后方可实施。

第四十条 反垄断执法机构调查涉嫌垄断行为,执法人员不得少于二人,并应当出示执法证件。

执法人员进行询问和调查,应当制作笔录,并由被询问人或者被调查人签字。

【释义】 本条是对反垄断执法机构调查涉嫌垄断行为应当遵守的程序的规定。

为了提高监管效能,本法赋予反垄断执法机构较大的权力,但是如果权力不加约束,就会导致滥用,严格的程序是约束权力的有效方法。为此,本条规定了反垄断执法机构调查涉嫌垄断行为时应当遵守的程序。

1. 执法人员不得少于二人。反垄断执法机构对涉嫌垄断行为调查时,实际到场进行调查的执法人员,至少应当有二人,其目的是为了使反垄断执法机构的执法人员互相监督制约,保证其依法履行职责,防止一名执法人员在没有监督制约的情况下出现滥用权力的行为。

2. 执法人员应当依法出示执法证件。反垄断执法机构的执法人员依法进行调查时,向被调查对象出示执法证件,是表明其作为反垄断执法机构执法人员的身份和执行调查任务的合法性。依照本法第四十二条的规定,被调查的经营者、利害关系人或者其他有关单位和个人应当配合反垄断执法机构依法履行职责。

3. 执法人员应当依法制作笔录并由有关人员签字。询问和调查笔录是在询问、调查过程中制作的、用以记载调查过程中提出的问题和回答,以及询问和调查过程中所发生事项的重要文书。准确制作询问调查笔录,既有利于反垄断执法机构查明事实,正确处理案件,又有利于保护被调查对象陈述和申辩的权利。为了保障询问调查笔录的客观、准确,在询问调查笔录制作完毕后,经核对无误,应当由被询问人或者被调查人签字。这样既表明调查人、被调查人对记录内容负责的态度,又可以防止篡改、伪造询问笔录。

第四十一条　反垄断执法机构及其工作人员对执法过程中知悉的商业秘密负有保密义务。

【释义】　本条是对反垄断执法机构及其工作人员保密

义务的规定。

反垄断执法机构及其工作人员在执法过程中,有可能涉及、了解有关单位和个人的商业秘密,对其知悉的商业秘密予以保密是其从事反垄断执法的基本要求。依照反不正当竞争法的规定,商业秘密,是指不为公众所知悉,能为权利人带来经济利益,具有实用性并经权利人采取保密措施的技术信息和经营信息。确定某一技术信息或者经营信息属于商业秘密,需要具备下列要件:(1)秘密性,即不为公众所知悉,一旦为公众所知悉即不属于商业秘密;(2)经济利益性,即这种信息能够为权利人带来经济利益,无法带来经济利益的信息不是商业秘密;(3)实用性,缺乏实用性的信息不是商业秘密;(4)保密性,即权利人没有采取保密措施,也不构成商业秘密。企业的销售计划、销售网络、客户名单、进货渠道、贸易图、产品配方都有可能构成企业的商业秘密。商业秘密一旦被泄露,往往会给原拥有商业秘密的单位和个人的生产、经营活动带来不利的影响,造成经济损失。在反垄断执法过程中,反垄断执法机构及其工作人员容易接触到企业的商业秘密,其应当严格遵守职业操守,对执行职务时知悉的商业秘密予以保密,否则将依照本法第五十四条的规定追究法律责任。

第四十二条　被调查的经营者、利害关系人或者其他有关单位或者个人应当配合反垄断执法机构依法履行职责,不得拒绝、阻碍反垄断执法机构的调查。

【释义】　本条是对被调查的经营者和其他有关单位、个人负有配合调查的义务的规定。

询问被调查的经营者、利害关系人或者其他有关单位和个人，是反垄断执法机构在依法履行职责过程中有权采取的措施。为了保证反垄断执法机构依法履行职责，本条规定上述单位和个人负有配合调查的义务。在接受调查时，要为反垄断执法机构查明事实真相提供便利条件，提供真实的有关文件和资料，不得妨碍反垄断执法机构获得真实可靠的文件和资料等，更不得隐瞒、掩盖事实真相，藏匿、销毁证据。对拒不配合反垄断执法机构调查的单位和个人，应当依法追究其法律责任。

第四十三条　被调查的经营者、利害关系人有权陈述意见。反垄断执法机构应当对被调查的经营者、利害关系人提出的事实、理由和证据进行核实。

【释义】　本条是对被调查的经营者、利害关系人有权陈述意见的规定。

行政调查是行政主体行使职权的程序性行为，调查方法必须合法、合理。行政机关进行行政调查一方面是为了查明案件事实，另一方面通过调查程序为当事人提供主张权利和保护其合法权益的机会。行政机关行使行政权力做出行政决定之前，尤其是在做出不利于当事人和相关人的决定之前，应当听取他们的意见。

陈述意见是行政相对人的程序性权利，对此权利应当予以保障。反垄断执法机构对被调查的经营者、利害关系人陈述意见的要求不能拒绝，应当听取。陈述意见包括书面陈述和口头陈述等形式。

反垄断执法机构应当对被调查的经营者、利害关系人提出的事实、理由和证据进行核实，其目的是在对被调查的经营者、利害关系人权益做出有影响的决定时，能够正确认定事实，依法做出决定。

第四十四条 反垄断执法机构对涉嫌垄断行为调查核实后，认为构成垄断行为的，应当依法作出处理决定，并可以向社会公布。

【释义】 本条是对反垄断执法机构对垄断行为的处理和公布的规定。

对经营者的涉嫌垄断行为，反垄断执法机构应当依据本法第六章的规定进行调查，并依据本法第二章至第四章规定的标准判断该行为是否构成垄断行为，认为构成垄断行为的，应当依照本法第七章的规定追究法律责任。反垄断执法机构对经调查核实的垄断行为，应当依法做出处理决定，这是反垄断执法机构的法定职责。

对于反垄断案件的查处结果，反垄断执法机构可以向社会公布。行政行为公开是规范行政的要求，这有利于保障社会公众的知情权，使得公众能够了解政府决策的背景，法律、法规、政策的执行效果；有利于充分发挥舆论监督的作用，监督行政机关依法行政；有利于警示其他经营者依法经营；有利于消费者和其他经营者维护自身的合法权益（反垄断执法机构的处理决定常常成为遭受损失的消费者和其他经营者追究违法经营者的民事责任的重要证据)；还有利于宣传反垄断法，培养全社会的反垄断意识，这在反垄断制度建立的初期尤其重要。

第四十五条　对反垄断执法机构调查的涉嫌垄断行为，被调查的经营者承诺在反垄断执法机构认可的期限内采取具体措施消除该行为后果的，反垄断执法机构可以决定中止调查。中止调查的决定应当载明被调查的经营者承诺的具体内容。

反垄断执法机构决定中止调查的，应当对经营者履行承诺的情况进行监督。经营者履行承诺的，反垄断执法机构可以决定终止调查。

有下列情形之一的，反垄断执法机构应当恢复调查：

(一)经营者未履行承诺的；

(二)作出中止调查决定所依据的事实发生重大变化的；

(三)中止调查的决定是基于经营者提供的不完整或者不真实的信息作出的。

【释义】　本条是对承诺制度的规定。

反垄断执法的目的不是为了处罚违法经营者，而是为了预防和制止垄断行为，保护市场竞争，维护消费者合法权益，促进经济健康发展。对反垄断执法机构而言，垄断行为的调查取证困难，研究分析具有较大的不确定性，是一项内容复杂、成本高昂的工作。对被调查的经营者而言，反垄断调查将有损经营者的声誉,如果经营行为最终被认定违反反垄断法,面临的严厉处罚更会对经营者的生产经营活动造成不利影响。所以,经营者承诺在反垄断执法机构认可的期限内采取具体措施消除其后果,以换取反垄断执法机构的中止调查,将导致一个多赢的结果,应当鼓励。需要注意的是,经营者的承诺,虽然是由于经营者从事了被调查的涉嫌垄断行为;但是,该行为是否真的构成垄断,此时并无定论,因为该问题已被承诺双方搁置起来。因此,经营者的承诺不能成为反垄断执法机构证明经营者从事了垄断行为的证据。

承诺制度对被调查的经营者的要求是：在反垄断执法机构认可的期限内采取具体措施消除该行为的后果。首先，经营者承诺采取的措施应当是有效和切实可行的。消除涉嫌垄断行为后果的措施是经营者和反垄断执法机构协商的结果，反垄断执法机构一般会要求经营者停止该行为，然后视具体情况决定是否需要采取补救措施。其次，该措施应当能够在反垄断执法机构认可的合理期限内消除该行为的后果。反垄断执法机构接受承诺，一个重要考虑就是将涉嫌垄断行为对市场竞争状况的影响降到最低,这就要求在尽可能短的时间内消除阻碍竞争的因素；如果允许经营者以承诺为名，拖延对其涉嫌垄断行为的调查处理，承诺制度就失去了应有的价值。

如果反垄断执法机构接受经营者的承诺,就应当做出中止调查的决定,并在决定中载明承诺的具体内容。应当强调的是,对于经营者的承诺,反垄断执法机构没有必须接受的义务。从其他一些国家和地区的执法经验看，对于一些严重的垄断行为，经营者往往希望通过承诺来避免或者延缓处罚，其结果可能使反垄断执法结果大打折扣，因此，有些国家和地区还在立法中明确规定了某些严重的垄断行为不适用承诺制度。本条的规定是"反垄断执法机构可以决定中止调查"，即将是否接受经营者的承诺的判断权交由反垄断执法机构裁量决定。

为了落实被调查的经营者的承诺，应当对经营者履行承诺的情况进行监督，视市场竞争状况是否得到改善采取进一步措施。如果经营者履行承诺，并且切实消除了垄断行为的不良影响，改善了市场竞争状况，维护了消费者的合法权益，反垄断执法机构可以决定终止调查。此处的"可以"表明，决定终止调查属于反垄断执法机构的自由裁量权，由反垄断执法机构根据承诺执行情况和实际效果决定。

如果反垄断执法机构发现存在下列情形之一，应当恢复调查：(1)经营者未履行承诺。"未履行"包括根本没有履行和未充分履行，后者的判断标准不仅应当考虑承诺规定的内容，还应当考虑执行承诺的实际效果。经营者未履行承诺，反垄断执法机构应当恢复调查。(2)做出中止调查决定所依据的事实发生重大变化。行政决定的事实基础发生重大变化，反垄断执法机构应当恢复调查。(3)中止调查的决定是基于经营者提供的不完整或者不真实的信息做出的。这里所称的"不完整或者不真实的信息"是指经营者为了使反垄断执法机构接受其承诺而提供的、对反垄断执法机构做出中止调查决定产生实质影响的信息，并不是任何资料细节的错漏都会导致反垄断执法机构恢复调查。如果中止调查决定是经营者通过欺诈获得的，应当恢复调查。

第七章 法律责任

第四十六条 **经营者违反本法规定，达成并实施垄断协议的，由反垄断执法机构责令停止违法行为，没收违法所得，并处上一年度销售额百分之一以上百分之十以下的罚款；尚未实施所达成的垄断协议的，可以处五十万元以下的罚款。**

经营者主动向反垄断执法机构报告达成垄断协议的有关情况并提供重要证据的，反垄断执法机构可以酌情减轻或者免除对该经营者的处罚。

行业协会违反本法规定，组织本行业的经营者达成垄断协议的，反垄断执法机构可以处五十万元以下的罚款；情节严重的，社会团体登记管理机关可以依法撤销登记。

【释义】 本条是对经营者实施垄断协议的法律责任及其宽容条款的规定。

（一）经营者实施垄断协议的法律责任

本条第一款所称“经营者违反本法规定”，是指经营者既违反本法第十三条关于禁止横向垄断协议的规定和第十四条关于禁止纵向垄断协议的规定，又不能够证明所达成的协议满足本法第十五条规定的豁免的情形。

经营者违反本法规定，达成并实施垄断协议的，反垄断执法机构应当责令其停止违法行为,不得继续实施垄断协议。同时,反垄断执法机构还应当没收其违法所得,并处以一定数额的罚款。本法将罚款数额定为上一年度销售额百分之一以上百分之十以下,尤其是最高可以处上一年度销售额百分之十的罚款,是比较严厉的规定,主要出于如下考虑:其一,由于垄断行为对市场经济的危害性极大,不设定较高的罚款,难以达到有效的惩戒效果;其二,垄断协议难以发现和取证,只有赋予反垄断执法机构足够大的处罚权,才能够对经营者起到有效的威慑作用,让他们不敢轻易制定和实施垄断协议;其三,本条设定了一个较宽的处罚幅度,在查处垄断协议过程中,反垄断执法机构拥有较大的裁量权,可以根据该协议对市场竞争状况的损害程度确定具体的处罚数额。

反垄断法不但要制止已发生的垄断行为,更要着眼于防患未然,在垄断行为发生损害市场竞争的后果之前就制止它。为此,本条规定,只要有证据证明经营者达成了垄断协议,即使尚未实施,反垄断执法机构也有权根据其违法情节处以五十万元以下的罚款。

(二)宽容条款

从其他一些国家的反垄断执法经验看,由于面临严厉处罚,经营者往往采取隐蔽的方式制定和实施垄断协议,反垄断执法机构获取有效证据的难度较大,进一步调查取证的成本高昂。为了更加有效地查处反垄断案件和节约执法成本,本条借鉴其他国家和地区的经验,引入了宽容条款,即经营者主动向反垄断执法机构报告达成垄断协议的有关情况并提供重要证据的，反垄断执法机构可以酌情减轻或者免除对该经营者的处罚。本款所称“经营者”，是指参与了该垄断协议的经营者；所称“主动向反垄断执法机构报告达成垄断协议的有关情况”，是指在反垄断执法机构对其开展反垄断调查之前和调查过程中，经营者向反垄断执法机构提供了有关垄断协议的详细而且准确的情报，一般包括参与的经营者、涉及的产品范围、达成协议的方式、协议的具体实施情况等情况；所称“提供重要证据”，是指经营者主动向反垄断执法机构提供对于查处反垄断案件有较大的证明力的证据。反垄断执法机构可以根据经营者所提供的情报的重要性以及所提供的证据的证明力大小，决定对该经营者减轻或者免除处罚的程度。

（三）行业协会违反本法规定，组织本行业的经营者达成垄断协议的法律责任

本条第三款所称“行业协会违反本法规定”，是指行业协会违反本法第十六条的规定，组织本行业的经营者达成垄断协议。行业协会不属于本法第十二条定义的“经营者”；但是，在中国的实际情况中，行业协会组织经营者达成垄断协议的情况却时有发生，其危害性往往比经营者自己达成的垄断协议更大。因此，本法专门对这种行为规定了法律责任，即行业协会组织本行业的经营者达成垄断协议的，反垄断执法机构可以对其处以五十万元以下的罚款；情节严重的，社会团体登记管理机关可以依法撤销登记。需要注意的是，经营者参加行业协会组织的垄断协议的，同样要按照本条第一款、第二款的规定承担相应的法律责任，不能以行业协会的组织行为

为理由要求减轻或者免除处罚。

第四十七条 经营者违反本法规定，滥用市场支配地位的，由反垄断执法机构责令停止违法行为，没收违法所得，并处上一年度销售额百分之一以上百分之十以下的罚款。

【释义】 本条是对经营者滥用市场支配地位的法律责任的规定。

本条所称"经营者违反本法规定"，是指根据本法第十七条第二款、第十八条、第十九条的规定被认定为具有市场支配地位的经营者，滥用其市场支配地位，从事本法第十七条第一款规定的垄断行为，具体包括低买高卖、掠夺性定价、拒绝交易、强制交易或者限定交易对象、搭售、差别待遇等。

经营者违反本法规定滥用市场支配地位的，反垄断执法机构应当首先责令其停止违法行为；经营者有可以查清的违法所得的，反垄断执法机构应当没收其违法所得；此外，还应当对经营者处以罚款，以惩戒其不再滥用其市场支配地位。

各国的反垄断立法实践中，对于处罚数额的规定主要有三种模式：(1)欧盟模式，以经营者上一营业年度全球销售额的一定比例为罚款上限。欧盟理事会《关于执行欧共体条约第81条和第82条竞争规则的1/2003号条例》规定，对经营者滥用市场支配地位的行为，可以处以企业上一营业年度总销售额的10%以下的罚款。德国、罗马尼亚等国家也有类似规定。(2)美国模式，规定具体数额标准。美国《谢尔曼法》规定，任何人垄断或企图垄断，或与他人联合、共谋垄断州际间或与外国间的商业和贸易，是严重犯罪。如果参与人是公司，将处以 1000 万美元以下罚款；如果参与人是个人，将处以 100 万美元以下的罚款，或 3 年以下监禁，也可由法院酌情并用两种处罚。但据美国司法部和联邦贸易委员会官员的介绍，目前美国司法实践中对滥用市场支配地位的行为只是以法院禁令的形式予以禁止，而不对其进行处罚。（3）日本和韩国模式，即鉴于违法所得难以计算而作为替代的课征金制度。日本《禁止私人垄断及确保公正交易法》和韩国《规制垄断与公平交易法》都规定，对于经营者滥用市场支配地位的行为，处以一定数额的课征金，该数额由政令或者总统令规定处罚基数的具体计算方法，由法律规定具体的处罚比例。同时，日本还可以对经营者处以 500 万日元以下的罚金，韩国还可以对经营者处以 3 年以下徒刑或者 2 亿韩元以下的罚金。

本条研究借鉴了国外有关立法例，根据我国具体情况，对经营者滥用市场支配地位的违法行为的罚款处罚做了规定，具体罚款数额由反垄断执法机构根据违法行为的具体情形在法定范围内裁量。

第四十八条　经营者违反本法规定实施集中的，由国务院反垄断执法机构责令停止实施集中、限期处分股份或者资产、限期转让营业以及采取其他必要措施恢复到集中前的状态，可以处五十万元以下的罚款。

【释义】　本条是对经营者违法实施集中的法律责任的规定。

依照本法规定，经营者集中达到国务院规定的申报标准，应当向国务院反垄断执法机构申报，没有申报的，不得实施集中。经营者向国务院反垄断执法机构申报集中，应当提交具有法律规定内容的申报书、集中对相关市场竞争状况影响的说明、集中协议、参与集中的经营者经会计师事务所审计的上一会计年度财务会计报告、国务院反垄断执法机构规定的其他文件和资料。经营者提交的上述文件、资料不完备，又未在国务院反垄断执法机构规定的期限内补交的，视为没有申报。该申报未申报的，不得实施集中。国务院反垄断执法机构在对经营者集中的申报进行审查期间，经营者不得实施集中。国务院反垄断执法机构审查后做出禁止集中的决定的，经营者不得实施集中。对外资并购国内企业或者以其他方式参与经营者集中，涉及国家安全的，还应当按照国家有关规定进行国家安全审查。经营者违反本法规定实施集中，还没有完成的，由国务院反垄断执法机构责令停止继续实施集中；已经完成了集中，或者已部分完成集中的，由国务院反垄断执法机构依据经营者集中采取的具体方式，责令经营者限期处分股份、资产、转让营业。国务院反垄断执法机构采取上述措施仍不能恢复到集中前的状态的，可以采取其认为可以采取的其他必要措施恢复到集中前的状态。另外，国务院反垄断执法机构可以对违反本法规定实施集中的经营者处五十万以下的罚款，具体数额，由国务院反垄断执法机构依据经营者违反本法规定实施集中的性质、程度和持续时间等因素决定。

第四十九条　对本法第四十六条、第四十七条、第四十八条规定的罚款，反垄断执法机构确定具体罚款数额时，应当考虑违法行为的性质、程度和持续的时间等因素。

【释义】　本条是关于确定对实施垄断行为的经营者的罚款数额时应考虑的因素的规定。

本法第四十六条规定，经营者违反本法规定达成并实施垄断协议的，由反垄断执法机构处以上一年度销售额百分之一以上百分之十以下的罚款，没有实施所达成的垄断协议，由反垄断执法机构处以五十万元以下的罚款；经营者主动向反垄断执法机构报告达成垄断协议的有关情况，并提供重要证据，反垄断执法机构可以酌情减轻或者免除对该经营者的处罚。第四十七条规定，经营者违反本法规定，滥用市场支配地位的，由反垄断执法机构处以上一年度销售额百分之一以上百分之十以下的罚款。第四十八条规定，经营者违反本法规定实施集中的，国务院反垄断执法机构可以处五十万元以下的罚款。这三条规定的罚款数额幅度较大，给予反垄断执法机构较大的自由裁量权，如不能正确把握和实施，可能导致处罚中的随意性。为了规范反垄断执法机构的罚款行为，有必要对反垄断执法机构在确定对违法经营者的罚款数额时应考虑的主要因素做出规定。经营者实施的垄断行为的性质、程度、持续时间不同，对竞争秩序造成的损害也不同，反垄断执法机构应根据具体案件中违法行为的不同情况，确定具体的罚款数额。

第五十条　经营者实施垄断行为，给他人造成损失的，依法承担民事责任。

【释义】　本条是对实施垄断行为给他人造成损失的民事责任的规定。

市场经济是法治经济，也是竞争经济，市场中的经营者都享有参与竞争的权利，其他经营者都不得剥夺。同时，经营者应当依法参与竞争，不得实施垄断行为，排除、限制竞争。经营者实施垄断行为，排除、限制竞争，给他人造成损害的，应当承担相应的民事责任。民事责任是民事法律关系人不履行民事法律义务所应当承担的法律后果。民事责任具有以下特点：一是以财产责任为主；二是以等价、补偿为主；三是向特定的权利人或者受害人承担责任。《中华人民共和国民法通则》规定承担民事责任的方式有十种：停止侵害；排除妨碍；消除危险；返还财产；恢复原状；修理、重作、更换；赔偿损失；支付违约金；消除影响、恢复名誉；赔礼道歉。经营者实施垄断行为对他人造成损失具体承担何种民事责任，依据具体情况和有利于受损失人的原则确定。

第五十一条　行政机关和法律、法规授权的具有管理公共事务职能的组织滥用行政权力，实施排除、限制竞争行为的，由上级机关责令改正；对直接负责的主管人员和其他直接责任人员依法给予处分。反垄断执法机构可以向有关上级机关提出依法处理的建议。

法律、行政法规对行政机关和法律、法规授权的具有管理

公共事务职能的组织滥用行政权力实施排除、限制竞争行为的处理另有规定的，依照其规定。

【释义】 本条是对滥用行政权力排除、限制竞争的法律责任的规定。

本法第五章对行政机关和法律、法规授权的具有管理公共事务职能的组织滥用行政权力，实施排除、限制竞争的行为做了禁止性规定。违反法律的上述规定的，应当依照本条规定追究法律责任。根据本条的规定，行政机关或法律、法规授权的具有管理公共事务职能的组织滥用行政权力，排除、限制竞争的，由该行政机关或者法律、法规授权的具有管理公共事务职能的组织的上级机关应当责令改正，该行政机关和组织应当依法改正。对直接负责的主管人员和其他直接责任人员，依法给予警告、记过、记大过、降级、撤职、开除等行政处分。同时，对行政机关和法律、法规授权的具有管理公共事务职能的组织的上述违法行为，反垄断执法机构可以向有关上级机关提出依法处理的建议。

行政性限制竞争行为属于行政权力的不当使用，解决这一问题，一方面要严格执行现行法律、法规的有关规定，对该行为按照组织程序及时纠正，追究直接责任人员的法律责任，同时，也要在行政体制内通过加强行政监督，实行严格的行政责任追究制来解决。应进一步深化经济体制改革和行政管理体制改革，转变政府职能，综合治理行政性限制竞争行为。本条第二款关于对行政机关和法律、法规授权的具有管理公共事务职能的组织滥用行政权力实施排除、限制竞争行为的处理，可以适用法律、行政法规的特别规定的规定，也为综合治理行政性限制竞争行为预留了空间。

第五十二条　对反垄断执法机构依法实施的审查和调查，拒绝提供有关材料、信息，或者提供虚假材料、信息，或者隐匿、销毁、转移证据，或者有其他拒绝、阻碍调查行为的，由反垄断执法机构责令改正，对个人可以处二万元以下的罚款，对单位可以处二十万元以下的罚款；情节严重的，对个人处二万元以上十万元以下的罚款，对单位处二十万元以上一百万元以下的罚款；构成犯罪的，依法追究刑事责任。

【释义】　本条是对妨碍反垄断执法审查和调查的法律责任的规定。

反垄断执法机构进行审查和调查，并做出行政决定，需要真实、准确、完整的材料、信息。本法在“经营者集中”一章中规定了申报集中的经营者应当向反垄断执法机构提交有关申请书、集中对相关市场竞争状况影响的说明、集中协议、参与集中的经营者经会计师事务所审计的财务会计报告等文件、资料；在“对涉嫌垄断行为的调查”一章中规定了反垄断执法机构在调查涉嫌垄断行为时可以要求被调查者、利害关系人或者其他有关单位和个人提供有关的单证、协议、会计账簿、业务函电、电子数据等文件、资料，被调查的单位和个人应当配合反垄断执法机关依法进行的调查，不得拒绝或者阻碍。本条规定，对反垄断执法机构依法实施的审查和调查，拒绝提供有关材料、信息或者提供虚假材料、信息，或者隐匿、销毁、转移证据，或者有其他拒绝、阻碍调查行为的，由反垄断执法机构责令改正，违法行为人是个人的，对个人可以处二万元以下的罚款，情节严重的，处二万元以上十万元以下的罚款；违法行为人是单位的，对单位可以处二十万元以下的罚款，情节严重的，对单位处二十万元以上一百万元以下的罚款。构成犯罪的，比如构成伪证罪或者暴力阻碍执行公务罪的，应当依照刑法的规定追究刑事责任。

第五十三条　对反垄断执法机构依据本法第二十八条、第二十九条作出的决定不服的，可以先依法申请行政复议；对行政复议决定不服的，可以依法提起行政诉讼。

对反垄断执法机构作出的前款规定以外的决定不服的，可以依法申请行政复议或者提起行政诉讼。

【释义】　本条是对行政相对人对反垄断执法机构的行政决定不服的行政救济途径的规定。

反垄断执法机构对经营者的垄断行为做出处理决定后，经营者应当认真执行。但是，如果经营者认为该决定与事实不符或者适用法律不当，法律也赋予他们必要的救济途径。根据行政复议法和行政诉讼法的规定，公民、法人或者其他组织认为具体行政行为侵犯其合法权益的，有权向行政机关提出行政复议申请，也有权向人民法院提起行政诉讼。反垄断执法机构依据本法做出的决定属于具体行政行为，行政相对人（包括行政决定的对象和利害关系人）对反垄断执法机构的行政决定不服的，本条区分两种情形分别规定了行政复议前置以及行政复议和行政诉讼并行的法律救济途经。

行政复议前置是行政程序法的特殊规定，一般用于专业性比较强的领域。与垄断协议和滥用市场支配地位相比，经营者集中的专业性比较强，涉及的因素更为复杂，因此，根据本条第一款的规定，行政相对人对反垄断执法机构依据本法第二十八条、第二十条的规定，做出的禁止经营者实施集中、同意经营者实施集中或者附条件同意经营者实施集中的决定不服的，应当先依法申请行政复议，对行政复议决定不服的，可以再依法提起行政诉讼。除此之外，按照本条第二款的规定，对于反垄断执法机构对经营者达成或者实施垄断协议、滥用市场支配地位的行为等做出的处理、处罚决定不服的，经营者既可以先依法申请行政复议，对行政复议决定不服的再提起行政诉讼，也可以直接提起行政诉讼。

第五十四条　反垄断执法机构工作人员滥用职权、玩忽职守、徇私舞弊或者泄露执法过程中知悉的商业秘密，构成犯罪的，依法追究刑事责任；尚不构成犯罪的，依法给予处分。

【释义】　本条是对反垄断执法机构工作人员违法行为法律责任的规定。

反垄断执法机构工作人员应当依法办事，不得滥用职权、玩忽职守、徇私舞弊。这里讲的滥用职权，是指反垄断执法机构工作人员超出法律、行政法规赋予的职权或者行使职权时假公济私、以权谋私，致使公共财产、国家和个人利益遭受损失的行为。玩忽职守，是指反垄断执法机构工作人员怠于履行法定职责，或者不认真履行法定职责，致使公共财产、国家和个人利益遭受损失的行为。徇私舞弊，是指反垄断执法机构工作人员在执法过程中，为私情、私利等，故意违背事实和法律，该为不为，或者不该为而为之，或者枉法做出处理，致使公共财产、国家或者个人利益遭受损失的行为。

商业秘密是指不为公众所熟悉，具有商业价值，能为拥有者带来经济利益或者竞争优势的技术信息和经营信息。技术信息和经营信息包括设计、程序、产品配方、制作工艺、制作方法、管理诀窍、客户名单、货源情报、产销策略、招投标中的标底以及标书内容等信息。商业秘密是经营者的一项重要无形财产，具有特定的价值和使用价值，受法律的保护，任何单位和个人不得侵犯经营者的商业秘密。反垄断执法机构工作人员在执法过程中因为工作的需要可能知悉经营者的商业秘密，但是，不得泄露经营者的商业秘密。

依照刑法的有关规定，反垄断执法机构工作人员滥用职权、玩忽职守致使公共财产、国家和个人利益遭受重大损失的，处三年以下有期徒刑或者拘役；情节特别严重的，处三年以上七年以下有期徒刑；反垄断执法机构工作人员徇私舞弊，致使公共财产、国家和个人利益遭受重大损失的，处五年以下有期徒刑或者拘役；情节特别严重的，处五年以上十年以下有期徒刑；反垄断执法机构工作人员泄露执法过程中知悉的经营者的商业秘密，给商业秘密的权利人造成重大损失的，处三年以下有期徒刑或者拘役，并处或者单处罚金；造成特别严重后果的,处三年以上七年以下有期徒刑,并处罚金。反垄断执法机构工作人员有上述行为,情节轻微,不构成犯罪的,依照公务员法和《行政机关公务员处分条例》的规定给予处分。

第八章 附 则

第五十五条 经营者依照有关知识产权的法律、行政法规规定行使知识产权的行为，不适用本法；但是，经营者滥用知识产权，排除、限制竞争的行为，适用本法。

【释义】 本条是对知识产权保护与反垄断法的关系的规定。

知识产权是一种无形财产权，包括专利权、商标权、著作权、专有技术等。知识产权具有专有性和排他性，即法律赋予知识产权权利人对特定客体如专利、商标等的独占权，权利人可以在法律授权的范围内排他性地享有或者行使其权利。基于此，权利人可以在一定时间和一定领域内就某种产品的生产或者销售取得市场优势地位甚至是市场支配地位，这对竞争会造成一定的影响；同时，知识产权权利人还有权许可他人使用其知识产权，如果知识产权权利人在许可协议中附加一定的限制性条件，也会在一定程度上排除和限制竞争。但是，行使知识产权对竞争的限制，是法律对各种利益关系进行权衡利弊后所允许的，即为了促进技术创新而不得不对竞争产生一定的限制。因知识产权而形成的垄断地位以及因知识产权的行使而对竞争的限制，是基于法律的授权，是合法的。各国一般将依法行使知识产权的行为作为反垄断法的适用除外情形。

另外,如果知识产权的权利人超出法律对其专有权规定的范围而滥用其权利,以谋取或加强其垄断地位,这种权利是不受保护的,这种行为如果排除、限制了竞争,应当受反垄断法的调整。

从一些国家的实践看,处理知识产权保护与反垄断关系的原则是:第一,只要知识产权的获得和行使是合法的,没有超出权利自身的范围,即使因行使知识产权的行为而排除或者限制了竞争,也不适用反垄断法。第二,知识产权的行使超出权利自身的范围,构成知识产权滥用,并产生了排除、限制竞争效果的,应当受反垄断法调整。第三,滥用知识产权排除、限制竞争不是一种独立的垄断行为类型,按其具体表现形式,分别属于垄断协议或者滥用市场支配地位的行为。

国外在反垄断法中处理滥用知识产权问题,主要有两种做法:

1. 在反垄断法中原则规定依法行使知识产权的行为不适用反垄断法,并在相关条例或执法指南中对知识产权许可协议中的限制性条款能否豁免适用反垄断法做出具体规定。例如,日本反垄断法规定,该法不适用于被依法认为是行使著作权法、商标法、专利法、实用新型法、外观设计法所规定的权利的行为。按照这一规定,如果不“依法”行使知识产权,排除、限制竞争,就应受到反垄断法的约束。为此,日本公平交易委员会颁布了《关于管制专利和技术秘密许可协议中的不公正交易方法的指导方针》,根据知识产权许可协议对竞争的影响程度不同,明确什么样的协议属于不公正交易方法,将受到反垄断法的规制。

2. 在反垄断法律中不涉及知识产权内容,而是在实施条例或执法指南中做出具体规定。例如,欧盟的反垄断法律中并没有涉及知识产权的内容,但以指令的形式对技术转让协议能否豁免适用反垄断法做了规定。欧盟《技术转让协议集体适用欧共体条约第 81 条第 3 款的 772/2004 号条例》中,对不能豁免的技术转让协议和可以依据"合理分析原则"获得豁免的技术转让协议做了详细规定。

本条借鉴国外的有益经验,对知识产权与反垄断法的关系做出了同国外普遍做法相一致的规定。依据本条规定,经营者行使知识产权的行为,不论是自己行使还是通过许可的方式授权他人行使,不论是否对市场竞争造成了排除、限制性的影响,只要是依照有关知识产权的法律、行政法规的规定进行的,就不会受到反垄断法的规制,不会被认为是垄断行为而受到处罚;但是,如果经营者滥用其知识产权,排除、限制竞争,将受到反垄断法的禁止。对于什么样的行为构成滥用知识产权的行为,法律并没有做出明确的规定,将由反垄断执法部门根据其行为的性质、对竞争的影响等因素来具体判断;反垄断执法部门也可以以指南等形式对实践中比较典型的滥用知识产权排除、限制竞争的行为予以明确。

**第五十六条　农业生产者及农村经济组织在农产品生

产、加工、销售、运输、储存等经营活动中实施的联合或者协同行为，不适用本法。

【释义】 本条是对农业生产经营活动排除适用本法的规定。

农业是国民经济的基础产业，又是国民经济的弱势产业。由于农业生产对自然条件的依赖性很强，作为人们基本生活必需品的农产品的需求弹性又很小等特点，使农业成为不适合过度竞争的产业，农业生产活动难以完全适用反垄断法的规定。不少国家和有关国际组织的反垄断立法都对农业领域给予反垄断豁免。例如，欧盟条约第四十二条规定，欧盟的农业政策优先于竞争政策，欧盟委员会《关于处理农业领域协议的26号法规》规定，对农业给予反垄断法的“类别豁免”。加拿大规定，渔夫或渔夫协会同特定人员或协会之间关于在特定条件下捕鱼，并以特定价格供鱼的协议不适用反垄断法。美国《克莱顿法》规定，不禁止为合法目的而采取互助措施的农业和园艺组织的活动。美国《凯普－伏尔斯蒂德法》及《合作推销法》的规定，农产品生产者有权在生产、收集、储存、经销农产品方面进行合作，共同行动，并视其为一个主体，有权设定联盟政策和固定农产品价格，并对农业合作社的一些行为予以反垄断豁免。

我国的农业发展还比较落后，基础薄弱，国家更应采取多种保护措施加以保护。本法借鉴国外立法经验，在本条明确规定农业活动可以排除适用反垄断法。

本条所称的农业，是大农业的概念，既包括农产品种植业，也包括林业、畜牧业和渔业。本条所称的农业生产者，既包括农民，也包括农业企业及其他直接从事农业生产经营活动的组织。本条所称的农村经济组织，既包括农民专业合作经济组织，也包括农村集体经济组织。

第五十七条　本法自2008年8月1日起施行。

【释义】　本条是对反垄断法施行日期的规定。

本法于2007年8月30日经十届全国人大第二十九次常委会会议审议通过，国家主席胡锦涛同日签发主席令予以公布，从2008年8月1日起施行。本条对本法从公布到施行，规定了近一年的准备时间，比其他法律规定的准备时间要长，主要是考虑到：（1）本法规定了一些新的反垄断制度，对这些新的制度需要广泛宣传，使经营者能够依法规范自己的行为；（2）由于这些新的制度专业性、技术性较强，我们又缺乏实践经验，为了保证这些制度的正确实施，需要研究制定一系列可操作的配套规定和实施指南，并对有关执法人员进行培训，以保证本法的正确执行；（3）为保证本法的有效实施，需要做好组织机构上的准备，包括国务院需要依照本法建立反垄断委员会，明确承担反垄断执法职责的机构及其具体职责等。为了做好本法实施的各项准备工作，将本法施行的准备时间规定得长一些是必要的。

第三部分　附　　录

一、有关法律和文件

中华人民共和国反垄断法

（2007年8月30日第十届全国人民代表大会
常务委员会第二十九次会议通过）

目　　录

第一章 总 则

第一条 为了预防和制止垄断行为,保护市场公平竞争,提高经济运行效率,维护消费者利益和社会公共利益,促进社会主义市场经济健康发展,制定本法。

第二条 中华人民共和国境内经济活动中的垄断行为,适用本法;中华人民共和国境外的垄断行为,对境内市场竞争产生排除、限制影响的,适用本法。

第三条 本法规定的垄断行为包括:

(一)经营者达成垄断协议;

(二)经营者滥用市场支配地位;

(三)具有或者可能具有排除、限制竞争效果的经营者集中。

第四条 国家制定和实施与社会主义市场经济相适应的竞争规则,完善宏观调控,健全统一、开放、竞争、有序的市场体系。

第五条 经营者可以通过公平竞争、自愿联合,依法实施集中,扩大经营规模,提高市场竞争能力。

第六条 具有市场支配地位的经营者,不得滥用市场支配地位,排除、限制竞争。

第七条 国有经济占控制地位的关系国民经济命脉和国家安全的行业以及依法实行专营专卖的行业,国家对其经营者的合法经营活动予以保护,并对经营者的经营行为及其商品和服务的价格依法实施监管和调控,维护消费者利益,促进技术进步。

前款规定行业的经营者应当依法经营，诚实守信，严格自律，接受社会公众的监督，不得利用其控制地位或者专营专卖地位损害消费者利益。

第八条　行政机关和法律、法规授权的具有管理公共事务职能的组织不得滥用行政权力，排除、限制竞争。

第九条　国务院设立反垄断委员会，负责组织、协调、指导反垄断工作，履行下列职责：

（一）研究拟订有关竞争政策；

（二）组织调查、评估市场总体竞争状况，发布评估报告；

（三）制定、发布反垄断指南；

（四）协调反垄断行政执法工作；

（五）国务院规定的其他职责。

国务院反垄断委员会的组成和工作规则由国务院规定。

第十条　国务院规定的承担反垄断执法职责的机构（以下统称国务院反垄断执法机构）依照本法规定，负责反垄断执法工作。

国务院反垄断执法机构根据工作需要，可以授权省、自治区、直辖市人民政府相应的机构，依照本法规定负责有关反垄断执法工作。

第十一条　行业协会应当加强行业自律，引导本行业的经营者依法竞争，维护市场竞争秩序。

第十二条　本法所称经营者，是指从事商品生产、经营或者提供服务的自然人、法人和其他组织。

本法所称相关市场，是指经营者在一定时期内就特定商品或者服务（以下统称商品）进行竞争的商品范围和地域范围。

第二章 垄断协议

第十三条 禁止具有竞争关系的经营者达成下列垄断协议：

（一）固定或者变更商品价格；

（二）限制商品的生产数量或者销售数量；

（三）分割销售市场或者原材料采购市场；

（四）限制购买新技术、新设备或者限制开发新技术、新产品；

（五）联合抵制交易；

（六）国务院反垄断执法机构认定的其他垄断协议。

本法所称垄断协议，是指排除、限制竞争的协议、决定或者其他协同行为。

第十四条 禁止经营者与交易相对人达成下列垄断协议：

（一）固定向第三人转售商品的价格；

（二）限定向第三人转售商品的最低价格；

（三）国务院反垄断执法机构认定的其他垄断协议。

第十五条 经营者能够证明所达成的协议属于下列情形之一的，不适用本法第十三条、第十四条的规定：

（一）为改进技术、研究开发新产品的；

（二）为提高产品质量、降低成本、增进效率，统一产品规格、标准或者实行专业化分工的；

（三）为提高中小经营者经营效率，增强中小经营者竞争力的；

（四）为实现节约能源、保护环境、救灾救助等社会公共利益的；

（五）因经济不景气，为缓解销售量严重下降或者生产明显过剩的；

（六）为保障对外贸易和对外经济合作中的正当利益的；

（七）法律和国务院规定的其他情形。

属于前款第一项至第五项情形，不适用本法第十三条、第十四条规定的，经营者还应当证明所达成的协议不会严重限制相关市场的竞争，并且能够使消费者分享由此产生的利益。

第十六条 行业协会不得组织本行业的经营者从事本章禁止的垄断行为。

第三章 滥用市场支配地位

第十七条 禁止具有市场支配地位的经营者从事下列滥用市场支配地位的行为：

（一）以不公平的高价销售商品或者以不公平的低价购买商品；

（二）没有正当理由，以低于成本的价格销售商品；

（三）没有正当理由，拒绝与交易相对人进行交易；

（四）没有正当理由，限定交易相对人只能与其进行交易或者只能与其指定的经营者进行交易；

（五）没有正当理由搭售商品，或者在交易时附加其他不合理的交易条件；

（六）没有正当理由，对条件相同的交易相对人在交易价格等交易条件上实行差别待遇；

（七）国务院反垄断执法机构认定的其他滥用市场支配地位

的行为。

本法所称市场支配地位，是指经营者在相关市场内具有能够控制商品价格、数量或者其他交易条件，或者能够阻碍、影响其他经营者进入相关市场能力的市场地位。

第十八条 认定经营者具有市场支配地位，应当依据下列因素：

（一）该经营者在相关市场的市场份额，以及相关市场的竞争状况；

（二）该经营者控制销售市场或者原材料采购市场的能力；

（三）该经营者的财力和技术条件；

（四）其他经营者对该经营者在交易上的依赖程度；

（五）其他经营者进入相关市场的难易程度；

（六）与认定该经营者市场支配地位有关的其他因素。

第十九条 有下列情形之一的，可以推定经营者具有市场支配地位：

（一）一个经营者在相关市场的市场份额达到二分之一的；

（二）两个经营者在相关市场的市场份额合计达到三分之二的；

（三）三个经营者在相关市场的市场份额合计达到四分之三的。

有前款第二项、第三项规定的情形，其中有的经营者市场份额不足十分之一的，不应当推定该经营者具有市场支配地位。

被推定具有市场支配地位的经营者，有证据证明不具有市场支配地位的，不应当认定其具有市场支配地位。

第四章　经营者集中

第二十条　经营者集中是指下列情形：

（一）经营者合并；

（二）经营者通过取得股权或者资产的方式取得对其他经营者的控制权；

（三）经营者通过合同等方式取得对其他经营者的控制权或者能够对其他经营者施加决定性影响。

第二十一条　经营者集中达到国务院规定的申报标准的，经营者应当事先向国务院反垄断执法机构申报，未申报的不得实施集中。

第二十二条　经营者集中有下列情形之一的，可以不向国务院反垄断执法机构申报：

（一）参与集中的一个经营者拥有其他每个经营者百分之五十以上有表决权的股份或者资产的；

（二）参与集中的每个经营者百分之五十以上有表决权的股份或者资产被同一个未参与集中的经营者拥有的。

第二十三条　经营者向国务院反垄断执法机构申报集中，应当提交下列文件、资料：

（一）申报书；

（二）集中对相关市场竞争状况影响的说明；

（三）集中协议；

（四）参与集中的经营者经会计师事务所审计的上一会计年度财务会计报告；

（五）国务院反垄断执法机构规定的其他文件、资料。

申报书应当载明参与集中的经营者的名称、住所、经营范围、预定实施集中的日期和国务院反垄断执法机构规定的其他事项。

第二十四条 经营者提交的文件、资料不完备的,应当在国务院反垄断执法机构规定的期限内补交文件、资料。经营者逾期未补交文件、资料的,视为未申报。

第二十五条 国务院反垄断执法机构应当自收到经营者提交的符合本法第二十三条规定的文件、资料之日起三十日内,对申报的经营者集中进行初步审查,作出是否实施进一步审查的决定,并书面通知经营者。国务院反垄断执法机构作出决定前,经营者不得实施集中。

国务院反垄断执法机构作出不实施进一步审查的决定或者逾期未作出决定的,经营者可以实施集中。

第二十六条 国务院反垄断执法机构决定实施进一步审查的,应当自决定之日起九十日内审查完毕,作出是否禁止经营者集中的决定,并书面通知经营者。作出禁止经营者集中的决定,应当说明理由。审查期间,经营者不得实施集中。

有下列情形之一的,国务院反垄断执法机构经书面通知经营者,可以延长前款规定的审查期限,但最长不得超过六十日:

(一)经营者同意延长审查期限的;

(二)经营者提交的文件、资料不准确,需要进一步核实的;

(三)经营者申报后有关情况发生重大变化的。

国务院反垄断执法机构逾期未作出决定的,经营者可以实施集中。

第二十七条 审查经营者集中,应当考虑下列因素:

（一）参与集中的经营者在相关市场的市场份额及其对市场的控制力；

（二）相关市场的市场集中度；

（三）经营者集中对市场进入、技术进步的影响；

（四）经营者集中对消费者和其他有关经营者的影响；

（五）经营者集中对国民经济发展的影响；

（六）国务院反垄断执法机构认为应当考虑的影响市场竞争的其他因素。

第二十八条 经营者集中具有或者可能具有排除、限制竞争效果的，国务院反垄断执法机构应当作出禁止经营者集中的决定。但是，经营者能够证明该集中对竞争产生的有利影响明显大于不利影响，或者符合社会公共利益的，国务院反垄断执法机构可以作出对经营者集中不予禁止的决定。

第二十九条 对不予禁止的经营者集中，国务院反垄断执法机构可以决定附加减少集中对竞争产生不利影响的限制性条件。

第三十条 国务院反垄断执法机构应当将禁止经营者集中的决定或者对经营者集中附加限制性条件的决定，及时向社会公布。

第三十一条 对外资并购境内企业或者以其他方式参与经营者集中，涉及国家安全的，除依照本法规定进行经营者集中审查外，还应当按照国家有关规定进行国家安全审查。

第五章 滥用行政权力排除、限制竞争

第三十二条 行政机关和法律、法规授权的具有管理公共

事务职能的组织不得滥用行政权力,限定或者变相限定单位或者个人经营、购买、使用其指定的经营者提供的商品。

第三十三条 行政机关和法律、法规授权的具有管理公共事务职能的组织不得滥用行政权力,实施下列行为,妨碍商品在地区之间的自由流通:

(一)对外地商品设定歧视性收费项目、实行歧视性收费标准,或者规定歧视性价格;

(二)对外地商品规定与本地同类商品不同的技术要求、检验标准,或者对外地商品采取重复检验、重复认证等歧视性技术措施,限制外地商品进入本地市场;

(三)采取专门针对外地商品的行政许可,限制外地商品进入本地市场;

(四)设置关卡或者采取其他手段,阻碍外地商品进入或者本地商品运出;

(五)妨碍商品在地区之间自由流通的其他行为。

第三十四条 行政机关和法律、法规授权的具有管理公共事务职能的组织不得滥用行政权力,以设定歧视性资质要求、评审标准或者不依法发布信息等方式,排斥或者限制外地经营者参加本地的招标投标活动。

第三十五条 行政机关和法律、法规授权的具有管理公共事务职能的组织不得滥用行政权力,采取与本地经营者不平等待遇等方式,排斥或者限制外地经营者在本地投资或者设立分支机构。

第三十六条 行政机关和法律、法规授权的具有管理公共事务职能的组织不得滥用行政权力,强制经营者从事本法规定的垄断行为。

第三十七条 行政机关不得滥用行政权力，制定含有排除、限制竞争内容的规定。

第六章 对涉嫌垄断行为的调查

第三十八条 反垄断执法机构依法对涉嫌垄断行为进行调查。

对涉嫌垄断行为，任何单位和个人有权向反垄断执法机构举报。反垄断执法机构应当为举报人保密。

举报采用书面形式并提供相关事实和证据的，反垄断执法机构应当进行必要的调查。

第三十九条 反垄断执法机构调查涉嫌垄断行为，可以采取下列措施：

（一）进入被调查的经营者的营业场所或者其他有关场所进行检查；

（二）询问被调查的经营者、利害关系人或者其他有关单位或者个人，要求其说明有关情况；

（三）查阅、复制被调查的经营者、利害关系人或者其他有关单位或者个人的有关单证、协议、会计账簿、业务函电、电子数据等文件、资料；

（四）查封、扣押相关证据；

（五）查询经营者的银行账户。

采取前款规定的措施，应当向反垄断执法机构主要负责人书面报告，并经批准。

第四十条 反垄断执法机构调查涉嫌垄断行为，执法人员不得少于二人,并应当出示执法证件。

执法人员进行询问和调查,应当制作笔录,并由被询问人或者被调查人签字。

第四十一条 反垄断执法机构及其工作人员对执法过程中知悉的商业秘密负有保密义务。

第四十二条 被调查的经营者、利害关系人或者其他有关单位或者个人应当配合反垄断执法机构依法履行职责,不得拒绝、阻碍反垄断执法机构的调查。

第四十三条 被调查的经营者、利害关系人有权陈述意见。反垄断执法机构应当对被调查的经营者、利害关系人提出的事实、理由和证据进行核实。

第四十四条 反垄断执法机构对涉嫌垄断行为调查核实后,认为构成垄断行为的,应当依法作出处理决定,并可以向社会公布。

第四十五条 对反垄断执法机构调查的涉嫌垄断行为,被调查的经营者承诺在反垄断执法机构认可的期限内采取具体措施消除该行为后果的,反垄断执法机构可以决定中止调查。中止调查的决定应当载明被调查的经营者承诺的具体内容。

反垄断执法机构决定中止调查的,应当对经营者履行承诺的情况进行监督。经营者履行承诺的,反垄断执法机构可以决定终止调查。

有下列情形之一的,反垄断执法机构应当恢复调查:

(一)经营者未履行承诺的;

(二)作出中止调查决定所依据的事实发生重大变化的;

(三)中止调查的决定是基于经营者提供的不完整或者不真

实的信息作出的。

第七章 法律责任

第四十六条 经营者违反本法规定,达成并实施垄断协议的,由反垄断执法机构责令停止违法行为,没收违法所得,并处上一年度销售额百分之一以上百分之十以下的罚款;尚未实施所达成的垄断协议的,可以处五十万元以下的罚款。

经营者主动向反垄断执法机构报告达成垄断协议的有关情况并提供重要证据的,反垄断执法机构可以酌情减轻或者免除对该经营者的处罚。

行业协会违反本法规定,组织本行业的经营者达成垄断协议的,反垄断执法机构可以处五十万元以下的罚款;情节严重的,社会团体登记管理机关可以依法撤销登记。

第四十七条 经营者违反本法规定,滥用市场支配地位的,由反垄断执法机构责令停止违法行为,没收违法所得,并处上一年度销售额百分之一以上百分之十以下的罚款。

第四十八条 经营者违反本法规定实施集中的,由国务院反垄断执法机构责令停止实施集中、限期处分股份或者资产、限期转让营业以及采取其他必要措施恢复到集中前的状态,可以处五十万元以下的罚款。

第四十九条 对本法第四十六条、第四十七条、第四十八条规定的罚款,反垄断执法机构确定具体罚款数额时,应当考虑违法行为的性质、程度和持续的时间等因素。

第五十条 经营者实施垄断行为,给他人造成损失的,依法承担民事责任。

第五十一条 行政机关和法律、法规授权的具有管理公共事务职能的组织滥用行政权力，实施排除、限制竞争行为的，由上级机关责令改正；对直接负责的主管人员和其他直接责任人员依法给予处分。反垄断执法机构可以向有关上级机关提出依法处理的建议。

法律、行政法规对行政机关和法律、法规授权的具有管理公共事务职能的组织滥用行政权力实施排除、限制竞争行为的处理另有规定的，依照其规定。

第五十二条 对反垄断执法机构依法实施的审查和调查，拒绝提供有关材料、信息，或者提供虚假材料、信息，或者隐匿、销毁、转移证据，或者有其他拒绝、阻碍调查行为的，由反垄断执法机构责令改正，对个人可以处二万元以下的罚款，对单位可以处二十万元以下的罚款；情节严重的，对个人处二万元以上十万元以下的罚款，对单位处二十万元以上一百万元以下的罚款；构成犯罪的，依法追究刑事责任。

第五十三条 对反垄断执法机构依据本法第二十八条、第二十九条作出的决定不服的，可以先依法申请行政复议；对行政复议决定不服的，可以依法提起行政诉讼。

对反垄断执法机构作出的前款规定以外的决定不服的，可以依法申请行政复议或者提起行政诉讼。

第五十四条 反垄断执法机构工作人员滥用职权、玩忽职守、徇私舞弊或者泄露执法过程中知悉的商业秘密，构成犯罪的，依法追究刑事责任；尚不构成犯罪的，依法给予处分。

第八章 附 则

第五十五条 经营者依照有关知识产权的法律、行政法规规定行使知识产权的行为，不适用本法；但是，经营者滥用知识产权，排除、限制竞争的行为，适用本法。

第五十六条　农业生产者及农村经济组织在农产品生产、加工、销售、运输、储存等经营活动中实施的联合或者协同行为，不适用本法。

第五十七条　本法自2008年8月1日起施行。

关于《中华人民共和国反垄断法(草案)》的说明

国务院法制办公室主任　曹康泰

委员长、各位副委员长、秘书长、各位委员：

我受国务院的委托，现对《中华人民共和国反垄断法(草案)》作说明。

反垄断法是保护市场竞争，维护市场竞争秩序，充分发挥市场配置资源基础性作用的重要法律制度，素有“经济宪法”之称。同时，反垄断法也是市场经济国家调控经济的重要政策工具。特别是在经济全球化的条件下，世界各国普遍重视利用反垄断法律制度，防止和制止来自国内国外的垄断行为，维护经营者和消费者合法权益，促进技术创新和技术进步，提高企业竞争力，保证国民经济的健康、持续、协调发展。

目前，随着我国经济体制改革的继续深入和对外开放的不断扩大，我国反不正当竞争法、价格法、招标投标法、电信条例等有关法律、行政法规中一些防止和制止垄断行为的规定，已经不能完全适应我国发展社会主义市场经济和参与国际竞争的需要。一是经营者滥用市场支配地位垄断价格、掠夺性定价、强制交易、搭售和附加不合理交易条件,或者相互之间达成价格联盟、划分市场、限制产量等各种形式的垄断协议,直接危害市场竞争,损害消费者和其他经营者的合法权益,妨碍了全国统一、竞争有序的市场体系的建立。此外,行政机关和法律、法规授权的具有管理公共事务职能的组织滥用行政权力,排除、限制竞争的现象还不同程度地存在,反垄断法对此也需要明确予以制止。二是随着经济全球化的加剧和我国对全球经济影响力的提高,国内国际经济结构调整不断加快,企业间的合并、重组日趋活跃。同时,在有的地区、有的行业中,垄断的苗头也已开始显现,迫切需要引导和规范,以避免产生严重限制甚至排除竞争的后果。三是我国作为市场经济国家,需要通过建立并实施较为完善的反垄断法律制度给市场经营者以公开、透明并可预期的行为准则,规范市场经济秩序。因此,有必要制定一部比较系统、全面的反垄断法,为进一步深化改革开放,营造公平有序的市场竞争环境,促进国际贸易和经济技术合作,保持我国经济活力,加强国家宏观调控,进一步提供法律保障。

反垄断法的起草工作历经十余年,2004 年 2 月商务部将与工商总局共同起草的《中华人民共和国反垄断法(送审稿)》报国务院。鉴于反垄断法的重要性,国务院法制办邀请全国人大财经委、全国人大常委会法工委、最高人民法院、发展改革委、商务部、工商总局、国务院发展研究中心、中国社科院的负责同志成立了反垄断法审查修改领导小组,并由上述有关部门、单位指派专人参加工作小组。考虑到反垄断法具有很强的专业性和技术性,国务院法制办还从北京大学、中国人民大学、中国社科院等教学、研究机构聘请了10位法学、经济学专家组成专家小组。我们多次广泛征求了国务院有关部门、地方人民政府、企业、有关社会团体以及国内外专家的意见,并专门召开了反垄断法国际研讨会。在研究借鉴国外反垄断立法有益经验的基础上,从我国经济发展的实际情况出发,对送审稿进行了反复研究、论证和修改。经过1年多的努力工作,形成了《中华人民共和国反垄断法(草案)》(以下简称草案)。草案共8章56条,主要规定了禁止垄断协议、禁止滥用市场支配地位和控制经营者集中三大制度以及禁止滥用行政权力排除、限制竞争、反垄断机构、法律责任等内容。草案正式上报国务院之前,国务院法制办专门向全国人大财经委、法律委和全国人大常委会法工委作了汇报。草案已经国务院第139次常务会议讨论通过。现对草案的主要问题说明如下:

一、关于制定反垄断法的指导思想

基于反垄断法的性质、地位和作用,我们在草案的拟订过程中坚持了四个方面的指导思想:一是反垄断法律制度既要符合国际惯例,严格禁止典型的、世界各国普遍共识的严重限制、排除竞争的垄断行为,又要针对我国企业作为市场主体尚不成熟,市场存在着竞争不充分、不适度的实际情况,特别是各类企业发展不平衡,竞争能力亟待提高的客观要求,在制度安排上力求明确,宽严适度,便于掌握和运用,以有助于培养企业依法自主、自律、自强的能力,有利于改进技术,提高产品质量,有利于保护消费者权益。二是反垄断法律制度既要有利于保护市场竞争,创造和维护良好的市场竞争环境,更要与国家现行有关产业政策相协调，有利于企业做大做强和规模经济的发展。要发挥反垄断制度的导向功能和约束功能，使反垄断法成为制止垄断、鼓励竞争、提高引进外资质量、促进经济结构调整的有力的政策工具。三是反垄断法必须起到维护国家经济运行健康有序的作用。这是世界各国特别是发达国家普遍奉行的原则。制定反垄断法应该鼓励有利于经济发展、有利于市场竞争、有利于保护消费者权益的企业并购，同时也要坚决保护关系国家利益、关系国计民生的产品和市场的竞争格局，坚决反对以获取垄断利益为目的的恶意并购。反垄断法的制定和实施要能够发现并制止排除和限制竞争、损害国家经济运行安全的并购行为，要建立起一套能够根据变化的情况适时进行调整的应对机制。四是反垄断法既是经营者的行为规范，又是国家维护市场竞争秩序的主要手段。与市场经济发达国家相比，我国这方面的实践经验不足，而且经济生活又具有多样性、多变性、复杂性的特点。因此，当前在反垄断法中要将反垄断的基本原则、基本制度确立起来，做到界限清晰、概念明确、言简意赅、留有余地，便于操作执行，经过一段时期的实践，积累经验后，再及时加以修改和完善。

二、关于垄断协议

垄断协议就是通常所说的卡特尔，是指经营者达成或者采取的旨在排除、限制竞争的协议、决定或者其他协同行为。经营者达成垄断协议是经济生活中一种最常见、最典型的垄断行为，往往造成固定价格、划分市场以及阻碍、限制其他经营者进入市场等排除、限制竞争的后果，对市场竞争危害很大，为各国反垄断法所禁止。但同时，在实践中经营者达成的某些协议虽然具有限制竞争的后果，但整体上有利于技术进步、经济发展和社会公共利益。因此，各国反垄断法又大都规定在一定情况下，对经营者达成的这类协议予以豁免。据此，草案明确禁止经营者达成各类垄断协议，包括具有竞争关系的经营者之间达成的固定、维持或者变更商品价格，限制商品的生产数量或者销售数量，分割销售市场或者原材料采购市场，限制购买新技术、新设备或者限制开发新技术、新产品以及联合抵制交易等横向垄断协议，也包括经营者在交易活动中限定向第三人转售商品的价格或者设定其他交易条件，排除、限制竞争的纵向垄断协议，以及经营者在招标、投标过程中串通投标，排除、限制竞争的行为，并明确被禁止的垄断协议自始无效，从法律上否定了垄断协议的效力。（第七条、第八条、第九条、第十一条）同时，草案又规定了豁免制度，即对经营者达成的某些具有限制竞争效果的协议，如果经营者能够证明是为了实现改进技术、研究开发新产品或者提高中小经营者经营效率、增强中小经营者竞争力等目的，同时不会严重限制相关市场的竞争，并能够使消费者分享由此产生的利益，则不予禁止。（第十条）

三、关于滥用市场支配地位

市场支配地位是指一个经营者或者几个经营者作为整体在相关市场中具有能够控制商品价格、数量或者其他交易条件，或者能够阻碍、影响其他经营者进入相关市场能力的市场地位。一般来说，具有市场支配地位的经营者都是市场份额较大、实力较雄厚的大公司、大企业。虽然各国反垄断法一般都不禁止经营者通过竞争取得市场支配地位，但都禁止经营者滥用其市场支配地位排除、限制竞争的行为。草案采取这一国际通行做法，不反对经营者具有市场支配地位本身，但严格禁止经营者滥用其市场支配地位实施垄断价格、掠夺性定价、拒绝交易、强制交易、搭售、实行差别待遇以及反垄断执法机构认定的其他排除、限制竞争的行为。（第十二条、第十五条）这样规定，既不妨碍、不限制大公司、大企业的存在和发展，符合我国鼓励企业做大做强、发展规模经济的政策，又能够有效制止经营者滥用其市场支配地位破坏竞争的行为，有利于创造和维护公平竞争的市场环境，保护消费者权益。同时，为了便于反垄断执法机构准确有效地执法，草案还在总结国际上反垄断立法和执法经验的基础上，规定了认定经营者具有市场支配地位应当依据的因素，包括该经营者在相关市场的市场份额以及相关市场的竞争状况、该经营者控制销售市场或者原材料采购市场的能力以及其他经营者进入相关市场的难易程度等；并以经营者在相关市场的市场份额为依据，明确了可以推定经营者具有市场支配地位的三种情形，以对具有市场支配地位的企业实施有效的监督，防止和制止其滥用市场支配地位。（第十三条、第十四条）

四、关于经营者集中

经营者集中是指经营者合并、经营者通过取得其他经营者的股份、资产以及通过合同等方式取得对其他经营者的控制权，或者能够对其他经营者施加决定性影响的情形。经营者集中是经济活动中的普遍现象。由于经营者集中的结果具有两面性，一方面有利于形成规模经济，提高经营者的竞争力；另一方面又可能产生或者加强市场支配地位，对市场竞争产生不利影响。

因此，各国反垄断法都对经营者集中实行必要的控制，以防止因经济力的过于集中而影响市场竞争。控制的主要手段是对经营者集中实行事先或者事后申报制度，并由反垄断执法机构进行审查，决定是否允许经营者实施集中。根据我国实际情况，并参照大多数国家反垄断法控制经营者集中的做法，草案对经营者集中设计了事先申报制度，要求达到一定规模标准的经营者实施集中应当事先向国务院反垄断执法机构申报；未申报的，经营者不得实施集中。（第十七条第一款）同时，草案明确规定了审查经营者集中应当考虑的因素，包括参与集中的经营者在相关市场的市场份额及其对市场的控制力、相关市场的市场集中度以及经营者集中在相关市场上排除、限制竞争的可能性等七个方面。（第二十三条）并原则上将具有或者可能具有排除、限制竞争效果作为禁止经营者集中的判断标准；将经营者能够证明经营者集中可以改善竞争条件和竞争状况，并且对竞争产生的有利因素明显大于不利因素，或者符合公共利益的要求，作为允许经营者集中的依据。（第二十四条第一款）这样规定，保证了反垄断法作为政策工具的有效运用。

五、关于经营者集中的申报标准

经营者集中的申报标准关系到国家对经营者集中的控制程度。世界各国无不根据本国的经济发展水平、产业集中度、市场竞争状况和国家的经济政策等因素，依据销售额、资产额或者交易额，确定经营者集中的申报标准。如，欧盟规定的申报标准是合并各方在全球范围内的总销售额超过 50 亿欧元，并且在参与合并的企业中，至少两个企业在欧盟的销售额达到 2.5 亿欧元；

阿根廷规定的申报标准是合并各方在全世界的总销售额超过 25 亿美元，或者在阿根廷的销售额超过 2 亿美元；美国的申报标准是交易额超过 2.123 亿美元，或者交易额低于 2.123 亿美元但超过 5310 万美元，并且一方经营者的资产额或者销售额在 1.062 亿美元以上，另一方经营者的资产额或者销售额在 1070 万美元以上（上述标准自 2005 年会计年度以后，参照上一年的国民生产总值变化情况，每年进行修订）。确定我国的经营者集中申报标准，既要符合国家鼓励企业重组、兼并、联合，促进企业做大做强的政策，有利于经济结构调整；又要防止因经济力的过于集中而影响市场竞争。既不能过高，也不能过低。草案从我国的经济发展水平和市场竞争状况，特别是不同行业和领域差别较大的实际情况出发，在三个层面上规定了经营者集中的申报标准：一是明确了一般行业和领域经营者集中的具体申报标准，即参与集中的所有经营者在全球范围内上一年度的销售额超过 120 亿元人民币，并且参与集中的一个经营者在中国境内上一年度的销售额超过 8 亿元人民币。（第十七条第一款）二是授权国务院可以对银行、保险以及其他特殊行业、领域经营者集中的申报标准另行规定，以保证国家对重点、关键行业和领域的竞争政策的实施，使经营者集中的申报标准能够更好地适应不同情况和实际需要。（第十七条第三款）三是设计了经营者集中申报标准的调整机制，便于国务院反垄断执法机构总结实践经验，根据我国经济发展水平和市场竞争状况的变化，适时调整经营者集中的申报标准，并报国务院批准施行。（第十七条第四款）

为了科学合理地确定一般行业和领域经营者集中的具体申

报标准,我们委托中国社科院数量经济与技术经济研究所组织有关经济学专家对经营者集中的申报标准问题进行专题研究。专题研究主要选择了美国、加拿大、德国、日本和我国台湾等26个国家和地区的企业并购申报标准为样本数据,并以多数国家采用的企业境内销售额以及全球销售额为基准数据建立计量经济模型,利用统计回归方法进行测算,提出了我国经营者集中的申报标准的建议:全球销售额和国内销售额标准分别为120亿元人民币和8亿元人民币。同时,根据国家统计局提供的2005年12月份月报数据和2004年全国经济普查数据,我国规模较大的企业中,年销售额在8亿元以下的企业占绝大多数,而年销售额在9亿—50亿元、51亿—99亿元和100亿元以上的企业数,分别为不超过6000家、1000家和300家,主要集中在制造业、采掘业、电力、煤气、交通运输、仓储和邮政业、建筑业、批发和零售业等行业。另据统计,2005年,在上海证券交易所上市的818家公司中,年销售额在8亿元以下的有370家,占45.1%;年销售额在9亿—50亿元的有361家,占44.0%;年销售额在51亿—99亿元的有44家,占5.4%;年销售额在100亿元以上的有43家,占5.2%。我们经认真研究认为,专家建议的经营者集中申报标准比较合适。按照这个标准,绝大多数企业并购一般不必申报,有利于企业在国家产业政策的指导下实行重组、兼并、联合,提高产业集中度和在国际上的竞争力。同时,又能够将规模较大企业的并购,特别是将容易导致市场支配地位的跨国并购纳入申报范围,符合国际通行做法,有利于防止和制止排除、限制竞争的经营者集中行为。

六、关于反垄断机构的设置及其职能

在反垄断法中如何规定我国反垄断机构的设置，是普遍关心的问题。对此，我们充分听取了国务院有关部门和专家学者的意见。各方面一致认为，反垄断法关于我国反垄断机构设置的规定既要考虑现实可行性，维持有关部门分别执法的现有格局，保证反垄断法公布后的实施；又要具有一定的前瞻性，为今后机构改革和职能调整留有余地。建议在反垄断法中只明确规定反垄断执法机构的职责及其工作程序，对具体承担反垄断执法职责的机构由国务院另行规定。同时，为了协调反垄断执法，保证反垄断执法的统一性、公正性和权威性，有必要设立国务院反垄断委员会，由国务院相关部门负责人以及法学、经济学专家组成，主要职责是：组织领导反垄断工作；就国家反垄断政策进行研究，向国务院提出建议；协调重大反垄断案件的处理以及协调反垄断执法机构的工作等。我们在认真研究上述意见的基础上，就这一问题向国务院作了请示，经国务院领导同意，草案在总则中明确规定国务院设立反垄断委员会，负责领导、组织、协调反垄断工作。考虑到建立全国统一、竞争有序的市场体系的要求和反垄断执法的特点，草案将反垄断执法作为中央事权，明确规定由国务院规定的承担反垄断执法职责的机构负责反垄断执法工作。为了便于严格统一执法，草案还规定了国务院反垄断执法机构根据工作需要，可以授权省、自治区、直辖市人民政府相应的机构负责有关反垄断执法工作。（第五条）并在“反垄断机构”一章中，对国务院反垄断委员会和国务院反垄断执法机构的具体职责、反垄断执法机构调查涉嫌垄断行为的程序、要求

以及可以采取的措施等作了具体规定。（第六章）

七、其他需要说明的问题

（一）关于对滥用行政权力排除、限制竞争的处理。

反垄断法对行政机关和法律、法规授权的具有管理公共事务职能的组织滥用行政权力排除、限制竞争问题如何规定，一直存在分歧。有的意见认为，虽然目前行政性限制竞争的现象在我国还不同程度存在，但这种行为在性质上属于行政权力的不当行使，主要不是依靠反垄断法能够解决的问题。行政性限制竞争问题的根本解决，需要进一步深化经济体制改革和行政管理体制改革，转变政府职能，加强对行政权力运行的规范和监督，培育市场主体依法独立经营的自主意识。同时，还要采取包括党纪、政纪以及必要的法律手段在内的综合性措施。鉴于《反不正当竞争法》、《产品质量法》以及《国务院关于禁止在市场经济活动中实行地区封锁的规定》等现行法律、行政法规对行政性限制竞争的处理已经作了规定，关键是要进一步加强监督、严格执法，反垄断法可不必再作重复规定。为了表明国家对这个问题的重视和坚决反对的态度，反垄断法对禁止行政性限制竞争可以作原则性规定。也有的意见认为，目前实践中，行政性限制竞争问题还较为普遍，这类行为扭曲竞争机制，损害经营者和消费者合法权益，妨碍全国统一、公平竞争市场体系的建立和完善，社会各界对此普遍关注，并期望通过反垄断法对行政性限制竞争进行有效规制。反垄断法作为保护竞争的专门性、基础性法律，必须切实解决影响我国市场竞争的突出问题。因此，反垄断法应当设专章对禁止行政性限制竞争作出具体规定，这是现阶段我国国情所决定的。

我们对上述意见认真分析、研究后认为,两方面的意见都有一定道理。考虑到目前行政性限制竞争在我国还确实存在,对市场竞争的影响也是客观现实,社会各界对此普遍关注。因此,虽然从理论上和国际通行做法看,行政性限制竞争主要不是由反垄断法解决的问题,反垄断法也很难从根本上解决这个问题。但是,从我国实际出发,在反垄断法这一保护竞争的专门性、基础性法律中对禁止行政性限制竞争作出明确、具体的规定,既表明国家对行政性限制竞争的重视和坚决反对的态度,又能够进一步防止和制止行政性限制竞争的行为。据此,草案在原则规定行政机关和法律法规授权的具有管理公共事务职能的组织不得滥用行政权力,排除、限制竞争的同时(第六条第一款),还专设一章对禁止行政性限制竞争作了具体规定,明确禁止实践中较为典型的六类滥用行政权力排除、限制竞争的行为,包括:以任何方式限定或者变相限定单位和个人只能经营、购买、使用指定的经营者提供的商品;妨碍商品在地区之间自由流通和充分竞争;以设定歧视性资质要求、评审标准或者不依法发布信息等方式,排斥或者限制外地经营者参加本地的招标投标活动;以采取同本地经营者不平等待遇等方式,排斥或者限制外地经营者在本地投资或者设立分支机构;强制经营者从事本法规定的垄断行为以及制定含有排除、限制竞争内容的规定(第五章),并规定了相应的法律责任。(第五十条)同时,为了给今后的改革和进一步完善有关法律制度留有余地,草案还规定,国家依法加强和完善对行政权力运行的规范和监督,并通过深化改革,转变政府职能,防止和消除滥用行政权力排除、限制竞争的行为。(第

六条第二款）

（二）关于反垄断机构与有关部门或者监管机构的关系。

根据现行有关法律、行政法规的规定和部门职责分工，有关部门或者监管机构也负有相应的反垄断执法职责，反垄断法需要处理好反垄断机构与有关部门或者监管机构的关系。按照既充分发挥有关部门或者监管机构的作用，又维护反垄断执法的统一性和权威性，并与有关法律、行政法规相衔接的原则，对依照有关法律、行政法规规定由有关部门或者监管机构调查处理的垄断行为，草案明确规定由有关部门或者监管机构调查处理，同时要求其将调查处理结果通报国务院反垄断委员会；有关部门或者监管机构对垄断行为未调查处理的，反垄断执法机构可以调查处理，但调查处理时应当征求有关部门或者监管机构的意见。（第四十四条）

（三）关于滥用知识产权行为的适用。

各国反垄断法一般都规定正当行使知识产权的行为不适用反垄断法，这是保护知识产权所必需的。但知识产权也存在权利行使不正当的问题。实践中，掌握知识产权的大公司常常通过强制性一揽子许可、在许可合同中附加不合理条件、利用市场支配地位收取不合理许可费等手段，限制竞争、谋求垄断，妨碍技术创新和技术进步，损害消费者权益。因此，在保护知识产权的同时，也必须防止和制止滥用知识产权排除、限制竞争的行为，这是目前各国普遍面临的问题。随着知识产权问题越来越趋于国际化，有的国家一方面非常强调保护知识产权，特别是要求其他国家承担保护知识产权的国际义务，另一方面又将滥用知识产权排除、限制竞争的行为纳入反垄断执法范围，或者直接规定反垄断法适用于滥用知识产权排除、限制竞争的行为。考虑到在我国也不同程度地存在这类问题，特别是考虑到滥用知识产权已经成为大公司、大企业谋求垄断地位的重要手段，因此，我国反垄断法应当将滥用知识产权排除、限制竞争的行为纳入适用范围，为防止和制止滥用知识产权排除、限制竞争提供法律依据。根据各方面一致意见，草案在明确规定经营者依照有关知识产权的法律、行政法规规定行使知识产权的行为不适用本法的同时，又将经营者滥用知识产权，排除、限制竞争的行为纳入本法的适用范围。（第五十四条）

《中华人民共和国反垄断法（草案）》和以上说明是否妥当，请审议。

全国人大法律委员会关于《中华人民共和国反垄断法(草案)》修改情况的汇报

全国人民代表大会常务委员会:

十届全国人大常委会第二十二次会议对反垄断法(草案)进行了初次审议。会后,法制工作委员会将草案印发各省(区、市)、中央有关部门和部分企业、研究机构征求意见。法律委员会、财政经济委员会和法制工作委员会联合召开座谈会,听取有关部门的意见。法律委员会、法制工作委员会召开座谈会,到一些地方调研,听取部分行业协会、地方有关部门和企业、专家的意见,并就草案修改中的主要问题同财政经济委员会和国务院法制办、商务部、工商总局、国家发改委、国务院国资委等部门交换意见,共同研究。6 月 12 日,法律委员会召开会议,根据常委会组成人员的审议意见和各方面的意见,对草案逐条进行了审议。财政经济委员会和国务院法制办、商务部、工商总局的负责同志列席了会议。6 月 19 日,法律委员会召开会议,再次进行了审议。现将草案主要问题的修改情况汇报如下:

一、有些常委会组成人员、全国人大代表和地方、部门提出,我国反垄断立法必须从我国国情出发，与社会主义市场经济相适应，在国家宏观调控指导下，统筹协调反垄断与实施国家产业政策和其他经济政策的关系，保护和促进公平有序的市场竞争。法律委员会经同财政经济委员会和国务院有关部门研究，为体现上述原则，建议在“总则”中增加一条规定：“国家制定和实施与社会主义市场经济相适应的竞争规则，加强和完善宏观调控，健全统一、开放、竞争、有序的市场体系。”（草案二次审议稿第四条）

二、有些常委会组成人员和地方、部门、行业协会、企业提出，制定反垄断法，应从我国现阶段经济发展的实际情况出发，既要防止经营者过度集中形成垄断，又要有利于国内企业通过依法兼并做大做强、发展规模经济，提高产业集中度，增强竞争力。法律委员会经同财政经济委员会和国务院有关部门研究，建议在草案规定的对“经营者集中”实行反垄断审查制度的同时，在“总则”中增加一条规定：“经营者可以通过公平竞争、自愿联合，依法实施集中，扩大经营规模，提高市场竞争能力。”（草案二次审议稿第五条）

三、有些常委会组成人员和地方、部门提出，许多国家的反垄断法并不禁止企业取得市场支配地位，而只是禁止滥用市场支配地位，损害消费者和其他经营者的合法权益。我国的反垄断法也应明确体现这一原则，以既有利于增强国有经济在关系国家安全和国民经济命脉的重要行业和关键领域的控制力，促进国内企业做大做强；又有利于预防和制止具有优势地位的企业滥用市场支配地位，损害消费者和其他经营者的合法权益。法律委员会经同财政经济委员会和国务院有关部门研究，建议

在“总则”中增加一条规定：“具有市场支配地位的经营者，不得滥用市场支配地位，排除、限制竞争。”（草案二次审议稿第六条）

四、有些常委会组成人员和全国人大代表提出，对国有经济占控制地位的关系国民经济命脉和国家安全的行业以及依法实行专营专卖的行业的经营者的合法经营活动，国家应予保护；同时，应对其产品和服务的价格，依照价格法、消费者权益保护法等法律、行政法规的规定，加强监管和调控，维护消费者利益，促进技术进步。法律委员会经同财政经济委员会和国务院有关部门研究，建议在“总则”中增加一条规定：“国有经济占控制地位的关系国民经济命脉和国家安全的行业以及依法实行专营专卖的行业，国家对其经营者的合法经营活动予以保护，并对经营者的经营行为及其商品和服务的价格依法实施监管和调控，维护消费者利益，促进技术进步。”“前款规定行业的经营者应当依法经营，诚实守信，严格自律，接受政府和社会公众的监督，不得利用其控制地位或者专营专卖地位损害消费者利益。”（草案二次审议稿第七条）

五、有些常委会组成人员和部门、行业协会、企业提出，面对经济全球化的挑战，我们的行业和企业应立足全球市场，增强整体实力，提高国际竞争力。行业协会应充分发挥行业自律作用，引导本行业经营者依照本法和价格法、反不正当竞争法等法律、行政法规的规定，开展公平有序竞争，防止恶性竞争。法律委员会经同财政经济委员会和国务院有关部门研究，建议在“总则”中增加一条规定：“行业协会应当加强行业自律，引导本行业经营者依法竞争，维护市场竞争秩序。”（草案二次审议稿第十

一条）

六、草案第十七条对“经营者集中”进行申报的具体标准作了规定。有些常委会组成人员和地方、部门、行业协会、企业对这一条的规定提出不同意见：有的认为申报标准定得过低；有的认为申报标准不宜定得过高；有的建议分行业规定不同的申报标准；有的建议在申报标准中增加经营者所占市场份额等指标。法律委员会经同财政经济委员会和国务院有关部门研究认为：申报标准定得过低，企业合并动辄就要申报审批，不利于国内企业通过兼并做大做强；申报标准定得过高，又不利于防止因过度集中形成垄断。鉴于各方面对申报标准的意见很不一致，同时考虑到申报标准需要随着经济发展、情况变化加以适时调整，法律以授权国务院作具体规定为妥。据此，法律委员会建议，对经营者集中的具体申报标准由国务院作出规定并适时调整。（草案二次审议稿第二十条）

七、有些常委会组成人员、全国人大代表和部门提出，近期外资并购我国企业的问题日渐突出，已经引起社会各界关注，对外资并购我国内企业，除应依照本法的规定进行反垄断审查外，还应按照国家有关规定进行国家安全审查。目前，有关行政法规、规章对外资并购国内企业的国家安全审查问题已经作了规定，国务院正在进一步研究完善这个制度。法律委员会经研究，建议增加一条规定：“对外资并购国内企业或者以其他方式参与经营者集中，涉及国家安全的，按照国家有关规定进行审查。”（草案二次审议稿第二十九条）

八、有的常委会组成人员和部门提出，按照草案第四十三条的规定，对反垄断执法机构作出的决定不服的，应先申请行政复议，对复议决定不服的，才可提起行政诉讼。而按照行政复议法、行政诉讼法规定的原则，对行政决定不服的，既可以先申请行政复议，也可以直接提起行政诉讼。法律委员会经同国务院法制办研究认为，考虑到对经营者集中的审查涉及的因素复杂，专业性强，当事人对国务院反垄断执法机构作出的禁止经营者集中的决定不服的，宜先申请行政复议，对复议决定不服的，再提起行政诉讼；对反垄断执法机构作出的其他决定不服的，既可以依法先申请行政复议，也可以直接提起行政诉讼。据此，法律委员会建议将草案第四十三条修改为："对反垄断执法机构依据本法第二十七条作出的决定不服的，可以依法先申请行政复议；对行政复议决定不服的，可以依法再提起行政诉讼。""对反垄断执法机构作出的前款规定以外的决定不服的，可以依法申请行政复议或者提起行政诉讼。"（草案二次审议稿第四十四条）

此外，还对草案作了一些文字修改。

草案二次审议稿已按上述意见作了修改，法律委员会建议本次常委会会议继续审议。

草案二次审议稿和以上汇报是否妥当，请审议。

全国人大法律委员会

2007年6月24日

全国人大法律委员会关于《中华人民共和国反垄断法(草案二次审议稿)》审议结果的报告

全国人民代表大会常务委员会:

常委会第二十八次会议对反垄断法(草案二次审议稿)进行了审议。会后,法律委员会、法制工作委员会为修改完善草案,同有关部门交换意见,进行研究。法律委员会于8月9日召开会议,根据常委会组成人员的审议意见和各方面的意见,对草案进行了审议。国务院法制办、商务部、工商总局负责同志和财政经济委员会有关同志列席了会议。8月21日,法律委员会召开会议,再次进行了审议。法律委员会认为,为了保护公平有序的市场竞争,促进社会主义市场经济的健康发展,制定反垄断法是必要的。草案经过常委会两次审议修改,符合我国社会主义市场经济的性质和发展要求,符合我国现阶段经济发展的特点,已经比较成熟;同时,提出以下主要修改意见:

一、按照草案二次审议稿第十八条的规定,经营者有这一条所列情形之一的,可以推定其具有市场支配地位。有的常委委员和全国人大代表提出,经营者如提出相反的证据,足以证明其不具有市场支配地位，就不应认定其具有市场支配地位。法律委员会经同财政经济委员会和国务院法制办研究，建议在这一条中增加一款，作为第三款，规定："被推定具有市场支配地位的经营者，有证据证明不具有市场支配地位的，不应当认定其具有市场支配地位。"（草案三次审议稿第十八条第三款）

二、草案二次审议稿第二十九条规定："对外资并购国内企业或者以其他方式参与经营者集中，涉及国家安全的，按照国家有关规定进行审查。"有的常委委员提出，对外资并购国内企业或以其他方式参与经营者集中，涉及国家安全的，既要依照反垄断法的规定按照其占有的市场份额等因素进行经营者集中审查，防止形成垄断；又要按照国家有关规定进行国家安全审查，防止危害我国家安全。本法对此应规定得更明确一些。法律委员会经同财政经济委员会和国务院法制办等部门研究，建议将这一条修改为："对外资并购国内企业或者以其他方式参与经营者集中，涉及国家安全的，除依照本法规定进行经营者集中审查外，还应当按照国家有关规定进行国家安全审查。"（草案三次审议稿第三十条）

三、草案二次审议稿第五十六条规定："对本法规定的垄断行为，有关法律、行政法规规定应当由有关部门或者监管机构调查处理的，依照其规定。有关部门或者监管机构应当将调查处理结果通报国务院反垄断委员会。"有些常委委员提出，草案"总则"中已规定，对本法规定的垄断行为，由国务院规定的承担反垄断执法职责的机构调查处理。至于某些特定行业和领域的反垄断执法工作，法律、行政法规规定由有关部门、机构负责的，宜由国务院在确定反垄断执法机构时通盘考虑，本法对此可不再另作规定。法律委员会经同财政经济委员会研究,建议删去这一条。

此外,还对草案二次审议稿作了一些文字修改。

草案三次审议稿已按上述意见作了修改,法律委员会建议本次常委会会议审议通过。

草案三次审议稿和以上报告是否妥当,请审议。

全国人大法律委员会

2007 年 8 月 24 日

全国人大法律委员会关于《中华人民共和国反垄断法（草案三次审议稿）》修改意见的报告

（2007 年 8 月 29 日在第十届全国人民代表大会常务委员会第二十九次会议上）

全国人大法律委员会主任委员　杨景宇

全国人民代表大会常务委员会：

本次常委会会议于 8 月 24 日下午对反垄断法（草案三次审议稿）进行了分组审议。普遍认为，这个法律草案已经比较成熟，建议进一步修改后，提请本次会议表决通过；同时，有些常委会组成人员又提出了一些修改意见。法律委员会于 8 月 26 日召开会议，经对常委会组成人员的审议意见逐条进行研究，对草案进行了审议。财政经济委员会和国务院法制办、商务部、国家工商总局的负责同志列席了会议。法律委员会认为，这个法律草案是可行的；同时，提出以下主要修改意见：

一、草案三次审议稿第九条对国务院反垄断委员会的职责作了规定。有些常委委员提出，反垄断委员会是议事协调机构还是实体性机构，性质不够清楚；为了加强反垄断委员会的权威性，保障本法的有效执行，应赋予反垄断委员会更充分的权力。法律委员会经同财政经济委员会和国务院法制办等部门研究认为，按照草案的规定，反垄断执法工作是由国务院规定的反垄断执法机构负责的，国务院反垄断委员会只是履行"组织、协调、指导"反垄断工作职能的议事协调机构，并不行使行政权力、作出行政决定。草案三次审议稿第九条规定的国务院反垄断委员会的职责，符合其性质，是适当的。据此，法律委员会建议，对这一条以不作修改为宜。（建议表决稿第九条）

二、草案三次审议稿第三十二条规定，行政机关和法律、法规授权的具有管理公共事务职能的组织，不得有本条所列四种滥用行政权力、妨碍商品在地区之间自由流通的行为。有的常委委员提出，有的行政机关和被授权的组织滥用行政权力，搞地区封锁，不只是这一条所列的四种行为，应考虑得更全面一些。法律委员会经同财政经济委员会和国务院法制办等部门研究，建议在这一条规定的禁止性行为中增加一项"妨碍商品在地区之间自由流通的其他行为"。（建议表决稿第三十三条第五项）

三、草案三次审议稿第五十条规定，行政机关和法律、法规授权的具有管理公共事务职能的组织滥用行政权力，实施排除、限制竞争行为的，由上级机关对直接负责的主管人员和其他直接责任人员依法给予处分。有的常委委员提出，行政机关和被授权的组织实施排除、限制竞争行为的，应赋予反垄断执法机构可以建议其上级机关依法作出处理的权力。法律委员会经同财政经济委员会和国务院法制办等部门研究,建议增加规定:有本条违法行为的,“反垄断执法机构可以向有关上级机关提出依法处理的建议”。(建议表决稿第五十一条)

四、草案三次审议稿第五十四条规定:“行业协会等组织实施的排除、限制竞争的行为,适用本法。”有些常委委员提出,行业协会如果排除、限制竞争,如何适用本法,适用哪些规定,不够清楚,建议明确禁止行业协会组织本行业的经营者从事串通涨价等本法所禁止的垄断行为,对违反规定的,应追究法律责任。法律委员会经同财政经济委员会和国务院法制办等部门研究,建议在草案三次审议稿第二章“垄断协议”中增加规定:“行业协会不得组织本行业的经营者从事本章禁止的垄断行为。”(建议表决稿第十六条)并在第四十五条中增加一款,作为第三款,规定:“行业协会违反本法规定,组织本行业的经营者达成垄断协议的,反垄断执法机构可以处五十万元以下的罚款;情节严重的,社会团体登记管理机关可以依法撤销登记。”(建议表决稿第四十六条第三款)同时,相应删去第五十四条。

此外,还对草案三次审议稿作了一些文字修改。

草案建议表决稿已按上述意见作了修改,法律委员会建议本次常委会会议通过。

草案建议表决稿和以上报告是否妥当,请审议。

二、有关资料

反垄断法中关于禁止垄断协议相关内容简介

一、垄断协议的定义

垄断协议,是指经营者之间为了排除、限制竞争而达成的协议、决议或者其他协同一致的行为。其中,“协议”是指两个或者两个以上的经营者通过书面协议或者口头协议的形式,就限制竞争的行为达成一致意见;“决议”是指企业集团、行业协会或者其他形式的企业联合体以决议的形式,要求其成员企业共同实施的限制竞争的行为;“协同一致的行为”是指企业之间虽然在市场行为方面并不存在协议或者决议,但相互心照不宣地实施了协调的、共同的市场行为,从而达到限制市场竞争的目的。

经营者之间通过垄断协议的方式,实施划分市场、限制价格或者限制产量等限制竞争的行为,严重损害竞争秩序,并可能损害消费者的利益,因此是各国反垄断法重点规制的对象。各国及国际组织对垄断协议的称谓并不完全相同,如德国将其称为

"卡特尔",法国将其称为"非法联合行为",日本将其称为"不正当交易限制",欧盟将其称为"限制竞争协议"。但他们对垄断协议的定义基本一致,即垄断协议的实施主体是两个以上的独立经营者;垄断协议的表现形式除书面或口头协议、决议外,还包括协同一致的行为;垄断协议具有限制竞争的目的或产生限制竞争的效果。例如,德国《反对限制竞争法》第一条规定,处于竞争关系的企业之间达成的协议、企业联合组织做出的决定以及联合一致的行为,如以阻碍、限制或者扭曲竞争为目的或使竞争受到阻碍、限制或者扭曲,则是被禁止的。日本《禁止私人垄断及确保公正交易法》第二条规定,本法所称"不正当交易限制",是指经营者不论是以合同、协定或者其他何种名义,与其他经营者共同决定、维持或上调价格,或对数量、技术、产品、设备、交易对方加以限制等相互间约束或完成经营活动,违反公共利益,在一定的交易领域实质性地限制竞争。

二、垄断协议的种类

根据参与协议的主体,可以将垄断协议分为横向协议和纵向协议。横向协议是在生产或者销售过程中处于同一阶段的经营者之间,即具有竞争关系的经营者之间(如生产商之间、批发商之间、零售商之间等)达成的协议;纵向协议是在生产或者销售过程中处于不同阶段的经营者之间(如生产商与批发商之间、批发商与零售商之间等)达成的协议。相互处于竞争关系的经营者之间的横向协议,往往会产生排除、限制竞争的结果,因此多数横向协议都属于反垄断法所规制的垄断协议;而相互之间没有竞争关系的经营者之间的纵向协议,除维持转售价格、搭售等协议外,其他协议都不会限制竞争,因而不构成反垄断法所规制的垄断协议。

1. 横向垄断协议。从有关国家、地区和国际组织的规定看,横向垄断协议主要包括以下几种:

(1)固定价格协议,即确定、维持或者改变价格的协议。价格竞争是经营者之间竞争的主要方式,因此固定价格协议对竞争秩序的危害最大,是一种典型的垄断协议。

(2)限制产量协议,即共同限制产品或者服务供应数量的协议。产品或者服务的供应数量减少,必然会导致价格上升,损害消费者利益,因此限制产量协议也是典型的垄断协议。

(3)划分市场协议,即分割地域、客户或者产品市场的协议,以避免相互竞争。

(4)联合抵制协议,又称集体拒绝交易,即协议各方联合起来不与其他竞争对手、供应商或者客户交易的协议。

(5)限制开发协议,即协议各方联合起来限制对特定产品的技术开发或者对新设备的引进,以减少在技术开发方面的竞争。

(6)串通投标协议,即在招标活动中投标人相互串通,排除或者限制其他投标人竞争的协议(如果在招投标活动中,招标人与投标人串通,排除或者限制其他投标人竞争的协议则属于纵向垄断协议)。

2. 纵向垄断协议。从有关国家、地区和国际组织的规定看,纵向垄断协议主要包括以下几种:

(1)维持转售价格协议,即供应商确定销售商向客户转售商品价格的协议,如约定最高限价、最低限价。

(2)独家交易协议,又称为排他性交易协议,通常包括一个或者一系列协议,其中约定供应商同意在特定地区内向销售商独家销售商品,或者销售商同意只从供应商处购买用于转售的商品,或者双方当事人相互承担上述两个方面的约束。独家交易协议的目的是排斥协议一方当事人与协议另一方当事人的竞争对手进行交易。

(3)附加条件协议,即供应商在与销售商进行交易时,要求对方当事人接受与交易无关的附加义务,作为交易的条件。比如搭售协议,是指在销售一种商品时,捆绑销售与该商品无关的其他商品。

三、垄断协议的认定原则

经营者之间的协议、决议或者其他协同一致的行为,是否构成反垄断法所禁止的垄断协议,应当以该协议是否实质性地排除、限制竞争为标准。但是,如果实践中对经营者之间的协议都进行全面的调查和复杂的经济分析,以确定其对竞争秩序的影响,将增加执法成本。在长期经验积累的基础上,各国针对垄断协议的性质和对竞争秩序的影响程度,形成了两种判断原则,即本身违法原则和合理分析原则。

1.本身违法原则。经营者之间的一些协议、决议或者协同一致的行为,一旦形成,必然会产生排除或者限制竞争的后果,因此对这类协议采取本身违法原则,即只要经营者协议、决议或者协同一致的行为被证实存在,就构成垄断协议。从各国的经验看,适用本身违法原则的一般都是横向垄断协议,如固定价格协议、划分市场协议、联合抵制协议。此外,纵向垄断协议中的搭售协议一般也适用本身违法原则。需要说明的是,适用本身违法原则的协议并不是固定不变的，随着情况的变化，对有些协议也适用合理分析原则。

2. 合理分析原则，即对本身违法原则规制范围以外的协议，其是否会排除、限制竞争进行分析，考虑协议所涉及的市场具体情况，协议实施前后的市场变化情况，以及协议的性质和后果等因素。只有在分析后确认该协议确实限制了市场竞争，才能认定为垄断协议。

四、有关国家、地区和国际组织对垄断协议的规定

有关国家、地区和国际组织反垄断法对垄断协议的规定，大致有以下两种模式：

1. 原则规定垄断协议的特征，不对垄断协议的具体类型进行列举，某种行为是否构成垄断协议，依法认定。如美国《谢尔曼法》第 1 条规定，任何契约，以托拉斯形式或者其他形式的联合、共谋，用来限制州际间或与外国之间的贸易或商业，是非法的。

2. 对垄断协议的特征做出原则规定的同时，对典型的垄断协议进行列举。某种行为只要属于列举的范围，自然构成垄断协议；如果不属于列举的范围，则依法认定。欧盟、韩国、加拿大等许多国家和组织采取这种做法，但是具体列举的垄断协议种类不尽相同。

（1）联合国《消除或控制限制性商业惯例法律范本》列举了七种垄断协议，包括共同定价（含进出口价格）；串通投标；划分市场；定额分配销售量和生产量；采取集体行动执行安排，如联合抵制交易；联合拒绝向可能的买主供应货物；集体拒绝他人参

加对竞争关系重大的安排或者协会。

(2)《欧共体条约》列举了五种垄断协议,包括直接或者间接地固定买卖价格或者其他任何交易条件;限制或者控制生产、市场、技术发展或者投资;分享市场或者资源;在相同的交易情形下对交易对象适用不同的交易条件,因而置其于不利的竞争地位;要求对方当事人接受与合同的主题在本质上或者商业惯例上无关联的附加义务,作为签订合同的条件。

(3)法国《关于价格和竞争自由法》列举了三种垄断协议,包括限制其他企业进入市场或自由从事竞争活动;阻碍市场价格自由形成,人为地促使其上涨或者下跌;限制或者控制生产、经销、投资或技术进步。

(4)韩国《规制垄断与公平交易法》列举了七种垄断协议,包括决定、维持或者变更价格;决定商品和劳务的交易条件或者对价支付条件;限制商品的生产、出库、运输、交易或者限制劳务交易;限制交易领域和交易相对人;妨害或者限制用于生产或劳务交易的设备的新设、增设或者引进;限制商品生产或者交易的种类和价格;设立为了共同管理营业的主要部门。

五、垄断协议的豁免

垄断协议的豁免,是指经营者之间的协议、决议或者协同一致的行为,虽然限制、排除了竞争,构成了垄断协议,但该类协议在其他方面所带来的好处要大于其对竞争秩序的损害,因此法律规定对其豁免,排除适用反垄断法的规定。欧盟及其许多成员国以及加拿大、韩国、我国台湾地区都规定了垄断协议的豁免。

(一)垄断协议的豁免情形

1.《欧共体条约》第八十一条第三款规定,可以豁免的垄断协议必须满足以下条件:有助于改进生产或者分销产品,或者促进技术进步、经济进步;使消费者公平分享由此产生的利益;有关企业所受到的限制对于达到上述目标是不可缺少的;在所涉及产品的相当范围内,没有排除竞争。

2. 德国《反对限制竞争法》第二条至第八条规定了七种可以豁免的垄断协议,包括:(1)标准和型号卡特尔、条件卡特尔,即以统一适用标准或型号,统一适用一般交易条件、一般供应条件以及包括现金支付折扣在内的支付条件为内容的协议,但以不涉及价格或价格要素为限。(2)专门化卡特尔,即以通过专门化达到经济过程合理化为内容的协议,但以限制竞争不会产生或加强市场支配地位为限。(3)中小企业卡特尔,即以中小企业之间的合作为内容的协议,但以不使竞争受到实质性损害并有利于改善中小企业竞争能力为限。(4)合理化卡特尔,即旨在使经济过程合理化的协议,但以该协议适于从根本上提高参与企业在技术、经济或组织方面的工作效率或经济效益,并因此能改善对需求的满足为限。合理化的效果应当同与之相关联的限制竞争之间保持适当的关系,限制竞争不得产生或者加强市场支配地位。(5)结构危机卡特尔,即因销售减少导致需求发生持续变化,从事生产、制造、加工或处理的企业达成的协议,但以该协议使生产能力有计划地适应需求所必需,并顾及了相关行业的竞争条件为限。(6)其他卡特尔,即有利于改善商品或服务的开发、生产、分配、采购、回收或处理条件,并以适当方式使消费者分享因此而产生的利益的协议,但以参与企业无法以其他方式达成这种改善效果，这种改善效果同与之相关的限制竞争之间保持适当关系，并且限制竞争不会产生或者加强市场支配地位为限。（7）部长特许卡特尔，即在某个行业的大多数企业的生存面临某种直接危险，无法或无法及时采取其他措施，并且限制竞争足以消除这种危险时，为了整体经济和公共利益，联邦经济部长可以对垄断协议批准豁免。

3. 加拿大《竞争法》第四十五条第五款规定，如果一项垄断协议仅涉及加拿大的出口，可以豁免。

4. 韩国《规制垄断及公平交易法》第十九条第二款规定了六种可以豁免的垄断协议，包括产业合理化；研究、技术开发；克服萧条；产业结构的调整；交易条件的合理化；提高中小企业的竞争力。

5. 我国台湾地区"公平交易法"第十四条规定了七种可以豁免的垄断协议，包括：（1）为降低成本、改良品质或者增进效率，而统一商品规格或者型号；（2）为提高技术、改良品质、降低成本或增进效率，而共同研究开发商品或者市场；（3）为促进事业合理经营而分别做专业发展；（4）为确保或促进出口，而专就境外市场的竞争进行约定；（5）为加强贸易效能，而就境外商品的进口采取共同行为；（6）经济不景气期间，商品市场价格低于平均生产成本，导致该行业的企业难以继续维持或者生产过剩，为有计划适应需求而限制产销数量、设备或者价格；（7）为增进中小企业的经营效率，或加强其竞争力。

（二）申请豁免的程序

1. 韩国《规制垄断与公平交易法》第十九条第二款、第三款规定，对于垄断协议的豁免应当按照该法施行令规定的标准、方法、程序，经过公平交易委员会的认可。同时，韩国《规制垄断与公平交易法施行令》对于垄断协议豁免的申请、申请文件的内容、申请文件的公示等程序进行了详细规定。

2. 德国《反对限制竞争法》第十条规定，豁免的决定，应由卡特尔当局根据经营者的申请做出；对垄断协议的豁免应当附有期限，一般不超过五年，在豁免期限届满前可依法申请延长；对垄断协议的豁免可以附加条件和负担。同时，按照该法第十一条的规定，卡特尔当局应当对外提供有关垄断协议豁免的情况，并应在联邦公报中公布。

3. 我国台湾地区"公平交易法"第十四条至第十七条规定，垄断协议的豁免，应向主管机关提出申请。主管机关允许豁免的可以附加条件或者负担，并应当附有期限，最长为三年，到期可以申请延长；许可豁免后，如果发生许可事由消灭、经济情况变更或者经营者超越许可范围的，主管机关可以废止、变更许可内容，命令停止、改正其行为或者采取必要的更正措施。主管机关对于垄断协议的豁免许可、附加的条件和负担、期限以及有关的处分措施，应当专门进行登记，并在政府公报上刊载。

卡特尔的形成及对卡特尔的调查、损害认定和处罚

4月5日至7日，世界经合组织(OECD)在韩国召开了有美国、新加坡、韩国、中国、印度尼西亚、越南等国家参加的反垄断法专题研讨会，就卡特尔的形成、对卡特尔的调查、损害认定和处罚等问题进行了研讨。法工委经济法室派人参加了此次研讨。现将有关内容介绍如下：

一、卡特尔的形成

卡特尔是两个以上经营者之间达成的旨在排除、限制竞争或者实际上具有排除、限制竞争效果的协议、决定或者其他协同一致的行为，主要包括固定商品或服务价格(包括涨价、维持价格或者降价，折扣的确定、取消等)、限制商品的生产数量或者销售数量、分配销售市场或者原材料采购市场(包括特定消费者或不同类型消费者分配、地理区域分配、不同类型产品分配等)、限制转售价格、联合抵制交易和串通招投标等。

一般而言，同类商品和服务的经营者在相同市场具有竞争关系，但是为了追求大于竞争利益的垄断利益，或者为防止新的竞争者的进入，他们会形成共谋，达成明示或默示的协议、决定

或其他协同一致的行为。但是,卡特尔的形成并不要求一个行业内的所有经营者都参与,也不需要所有成员就全部条款达成协议。具有下列因素,易于形成卡特尔:只有少数经营者的高度集中的产品或行业;难以进入和退出的行业;同一种产品;产品价格相同;只有较少的剩余生产能力的行业;具有较低的市场需求弹性的产品;购买量小但购买者较多且经常购买的产品;经营者曾有过共谋记录;经营者意见高度一致等。需要说明的是,在只有少数经营者高度集中的产品和行业,如果国家对经营者合并的监管不严格,经营者为取得垄断利益,有可能更多地采取合并的方法,而不必煞费心思地进行卡特尔协议的谈判。

卡特尔因限制和排除竞争,一般为各国法律所禁止,但对一定情形的卡特尔,如为企业创新研发、对付经济不景气、鼓励出口而建立的卡特尔以及中小企业之间的联合等,由于其有利于经济发展和消费者利益,法律不予追究。

二、对卡特尔的调查

卡特尔协议具有隐蔽性,在认定上存在困难。执法机关要收集各方面的证据,包括市场上的零售价格标签和报价单;竞争者之间的会议和谈话记录、电话记录及录音、电子邮件、影像资料;短时间内同时提价的事实;拒绝与某一类别的客户交易的事实;特定地区若干竞争者维持某一产品或服务价格的信息;过去的共谋记录;调价的预先通知;有关媒体的报道以及受害人等有关人员的陈述等。

经过法定程序,执法机关可以对纸面文件和电子文件进行搜查和没收,也可以发传票要求当事人交验文件。这些文件主要包括：和竞争者来往的信件、电子邮件；工作台历；会议记录；投标文件；定价文件；高级经理人员的个人档案、工资收入表、工作日志、通讯簿；经营者的财务说明、分类账、现金流水账、货物进出库单、作废的支票、电话记录、在行业协会中的活动记录等。对涉嫌犯罪的，执法机关可以对经营者的办公室、住宅、公文包和电脑行使搜查和没收权。

经过法定程序，执法机关可以传唤以下人员：线人、申请宽大处理的人、在岗或离职的雇员、竞争对手、消费者。即使是最低职位的雇员和与卡特尔少有瓜葛的公司都可以被传唤。传唤场所可以是被传唤人的工作场所，也可以是执法机关办公地。可以有律师在场，也可以无律师在场。

三、对卡特尔行为造成损害的认定及处罚

据 OECD 专家测算，卡特尔行为所造成的损失既有区域性的，也有全国性甚至全球性的，其每年给全球经济带来数十亿美元的损失。卡特尔的平均持续时间为四年，最短两个月，最长二十年。卡特尔通过各种方式所索取的非法利润是各经营者利润总和的百分之二十五左右，最高的达到百分之三十。

计算卡特尔行为所造成的损害，有以下方法和步骤：(1)细分影响价格的因素，包括品味偏好、季节因素、替代品价格、消费者收入水平、原料价格、技术、经营者数量、行业壁垒、法规管制情况等。(2)比较卡特尔形成前后的价格。OECD 专家指出，这一方法看起来切实可行，但结果也不能一概而论，因为有些情况是不确定的，比如，如何确定“卡特尔形成之前”这一时间段；如何确定卡特尔起始的确切时间；如何解释卡特尔存在期间的价

格变动;是否考虑了前述的细分影响价格的因素;卡特尔形成前后市场条件是否发生变化等。(3)比较不存在卡特尔共谋的同期同类型市场上的价格变化情况。(4)分析汇率、该行业的投资和固定资产变化、经营者数量变化、产品供求情况、物流状况和经营者的合理利润。有时,需要建立数据统计和变量图表及模型,列举出所有已考虑和省略的要素,其中,任何比较都要在供求关系和市场条件可比较的基础上进行。

关于请求损害赔偿的主体,许多国家法律原则规定直接购买者和间接购买者可以请求损害赔偿。前者通常是指服务接受者或中间商,后者指任何类别的消费者。那些从非卡特尔成员的同类经营者或替代产品和服务的经营者手中购买商品和服务的消费者,也可以提出损害赔偿请求,因为这两类经营者受卡特尔提高价格的影响,也可能提高价格。此外,有的国家主张,卡特尔内经营者产品和服务的上游供应商、未参加卡特尔的竞争对手、产品附件供应商都可以提出赔偿请求。

对卡特尔行为的刑事处罚,各国都规定了惩罚性罚金和赔偿性罚金,前者的绝对数量可以以亿计算,后者以非法所得的2~4倍为上限。对执法机关调查时作伪证、提供虚假材料、毁损证据、妨害司法程序的人员也要进行处罚。此外,为调查取证的需要和分化卡特尔成员,各国反垄断法都规定了一种宽大程序,即卡特尔成员主动或经执法机关提醒,向执法机关提交有关卡特尔证据并配合执法机关查处卡特尔的,可以减少罚金或减轻刑罚甚至免予刑事处罚。各国根据自己的情况,有的规定只对一个自首的卡特尔成员实行宽大处理,有的则规定对多个卡特尔成员实行宽大处理,具体按自首的顺序依次递减处罚程度。

招标投标活动中的限制竞争行为

6月14日至16日，世界经合组织（OECD）在韩国召开了有英国、澳大利亚、新加坡、韩国、中国、印度尼西亚、泰国、越南等国家参加的反垄断法专题研讨会，就招标投标活动中的限制竞争行为进行了研讨。法工委经济法室派人参加了此次研讨。现将有关内容介绍如下：

一、招标投标活动中限制竞争行为的种类

招标投标，一般是在大宗货物的买卖、工程建设项目的发包与承包，以及服务项目的采购与提供时，所采用的一种选择交易对象的方式。一方面，采购方作为招标方，通过发布招标公告或者向一定数量的特定供应商、承包商发出招标邀请等方式发出招标采购的信息，提出所需采购的项目及其质量、技术要求、交货或竣工期限以及对供应商、承包商的资格要求等招标采购条件，表明将选择最能够满足采购要求的供应商或者承包商。另一方面，由各有意提供采购所需货物、工程或服务项目的供应商、承包商作为投标方，向招标方书面提出自己拟提供的货物、工程或服务的报价及其他响应招标要求的条件，参加投标竞争。

经招标方对各投标者的报价及其他条件进行审查比较后，从中择优选定中标者，并与其签订采购合同。按照法定的规则进行招标投标，能保证众多的市场主体有机会进入招标项目的竞争行列，并在竞争中遵循公开、公平、公正的原则，以实现公平竞争的目的。在招标投标活动中，如果投标方之间，或者投标方与招标方之间相互串通，排除或者限制其他投标方参与投标竞争，将违背公平竞争的目的，属于反垄断法规制的垄断协议。

从各国的实践看，招标投标活动中的限制竞争行为主要有以下几种类型：

1. 限制投标，即一个或者多个供应商或者承包商，采用物质利诱（如答应支付一定报酬）或者暴力威胁的方法，使其他有实力的潜在供应商或者承包商，不参与投标或者已经参与投标的撤回投标，从而达到排除竞争的目的。这是招标投标实践中比较常见的一种限制竞争行为。

2. 围标，即投标人通过一定的途径，秘密与其他投标人共同商量投标策略，串通投标报价，排斥竞争，以获取中标。例如，投标人相约共同提高投标报价，以使最后的中标价格高于招标人的标底价格，以获取高额利润。

3. 陪标。为了实现充分竞争，一般要求有多家供应商或者承包商参与投标。实践中，有的投标人为了达到中标的目的，找来一些没有真正投标意愿的供应商或者承包商，例如自己的下属企业、子公司、关联企业，共同参与投标。这些企业故意报出一个招标人所不可能接受的报价，从而使得该投标人可以顺利中标。

4. 轮标，即几家供应商或者承包商以协议的方式，约定各自轮流成为某一次招标活动中的内定中标人,其他企业在投标活动中予以配合以促使其中标,即甲公司这次中标,乙公司下次中标,依次类推。一般来说,参与轮标的供应商或者承包商都是该竞争领域较有实力的企业,通过轮标,实际上达到了划分市场的目的,限制了其他企业参与竞争。

5. 分标,即投标人之间事先约定,无论哪个投标人最后中标,都要把所获得的合同部分分给其他未中标的投标人。使参与投标的供应商或者承包商无论是否中标,都能够从该次投标活动中获得利益。在这种情形下,投标人没有投标失败的压力,不可能真正地进行竞争,因此这种分标行为也是严重损害竞争秩序的行为。

6. 内定中标,即在招标投标活动中,投标人与招标人相互串通,招标人私下将标底或者其他信息秘密透露给其内定的投标人,以使该投标人中标。内定中标行为往往发生在公共工程建设等政府采购活动中。

二、招标投标活动中可能存在限制竞争行为的迹象

招标投标活动中的限制竞争行为具有隐蔽性,竞争主管部门很难发现。根据实践经验,限制竞争行为往往伴随着特定的迹象。在出现下列迹象时,预示着招标投标活动中可能存在限制竞争行为:

1. 所有投标人的报价均远远高于招标方的标底价格,也高于一般的市场平均价格。这意味着可能存在投标人相互串通,进行围标的限制竞争行为。

2. 某些投标人的报价明显缺乏竞争力,或者未中标的投标

人的报价同中标人相比差别过大,或者参与投标的供应商或者承包商属于同一企业集团或为同一企业所控制。这些现象都可能预示着陪标行为的发生。

3. 同一个供应商或者承包商总是能够中标。一个企业总是中标,可能是因为该企业的竞争力比较强,但也可能是该企业在招标投标活动中实施了限制竞争的行为。对此,竞争主管部门也不能放松警惕。

4. 同一个供应商或者承包商总是能够在某一区域进行的招标投标活动中中标,或者某一投标人在某一次招标投标活动中表现突出,而其他投标人分别在其他招标投标活动中表现突出。这可能是投标人通过轮标的方式,进行划分市场的结果。

5. 在不同的招标投标活动中,最后的中标人总会将其所获得的合同部分分给其他未中标的投标人。

6. 参与投标的供应商或者承包商,频繁聚会或者通过其他方式进行联络。

当出现上述迹象时,竞争主管部门一般就要开始调查,以确定招标投标活动中有无限制竞争行为,对已经存在的限制竞争行为予以制止。

三、竞争主管部门对招标投标活动中限制竞争行为的调查

竞争主管部门进行调查时,以下四种途径是其获取信息的重要来源:

1. 通过揭发者获取信息。在执法实践中,揭发者一般是参与限制竞争行为的企业的雇员或者是前雇员。他们一般掌握着企业参与限制竞争行为的信息。竞争主管部门通过传唤或者以

其他方式与上述人员接触,并通过豁免其责任的方式使其进行揭发,可以获得所需要的信息。

2. 竞争主管部门自行调查取证。这包括调查被怀疑参与限制竞争行为的企业的合同、会议记录、电话录音、电子邮件、音像资料等方式获取所需要的证据。

3. 通过对参与限制竞争行为的企业的责任豁免,鼓励企业向竞争主管部门自首。自首者的供述,是竞争主管机关确定限制竞争行为存在的有力证据。许多国家如日本、韩国、澳大利亚等都规定了对自首者的豁免制度,即第一个向竞争主管部门自首的参与限制竞争行为的企业可以免受处罚。这一制度在实践中取得了很好的效果。

4. 通过受理投诉的方式获得信息,对可能存在的限制竞争行为进行调查。在招标投标活动中,因限制竞争行为受到排挤或者损害的企业,可能会向竞争主管部门投诉,并提供有关信息。这也是竞争主管部门获得信息的重要途径。

欧共体关于纵向垄断协议豁免的规定

《欧共体条约》第八十一条第一款规定禁止垄断协议，同时该条第三款规定了垄断协议豁免的条件。据此，欧共体委员会发布了若干个具体的横向、纵向垄断协议的豁免条例，其中涉及纵向垄断协议的主要是：独家销售协议（协议一方承诺只向另一方提供协议规定的商品）、独家购买协议（协议一方承诺只从另一方购买协议规定的商品）、特许经营协议（协议一方即特许人向另一方授予有关商品或服务的专利、商标、商号等的使用权，并要求其按照特许人的经营模式进行经营）、技术转让协议、技术秘密许可协议、载重汽车销售和售后服务协议等。1999 年 12 月 22 日，欧共体委员会通过了《关于纵向垄断协议豁免的条例》（以下简称条例），条例于 2000 年 6 月 1 日起实施。随着条例的实施，上述独家销售、独家购买以及特许经营三个豁免条例不再适用，其内容纳入新的条例。

一、条例的适用范围

条例第二条规定，根据《欧共体条约》第八十一条第三款，并且在符合条例规定的前提条件下，条约第八十一条第一款不适用于两个或者两个以上企业间订立的以下协议或者协调行为：协议当事人出于实施协议的目的，分别在不同生产阶段或者销售阶段从事经营活动，并且协议涉及一定商品或者服务的购买、销售或者转售条件。与以前只对某些具体的纵向垄断协议制定豁免条例的规定相比，条例扩大了豁免范围。它不仅适用于商品，还适用于服务；不仅适用于独家销售、独家购买以及特许经营协议，而且在没有例外规定的情况下，还适用于其他类型的纵向协议。条例序言第二条、第三条规定，条例所指的可以依据《欧共体条约》第八十一条第三款得到豁免的垄断协议是指非竞争的企业之间，某些竞争者之间，或者某些零售商协会之间，出于销售商品或者服务目的而订立的纵向协议。其中包括含有转让或者使用知识产权的从属性条款的纵向协议（包括相应的协调性行为）。欧共体委员会在条例的适用指南中还指出，一个纵向协议如果不能适用条例，这并不说明该协议违反了条约第八十一条第一款关于禁止垄断协议的规定。当事人可以要求欧共体委员会通过个别评价决定是否豁免。如果不给予豁免，委员会应负举证责任。

二、条例对纵向垄断协议给予豁免的条件

一个纵向垄断协议要得到豁免，必须满足条例规定的条件。其中一个重要的条件是协议当事人（包括其关联企业，即其可以直接或间接行使支配权的企业）的市场份额不得超过一定标准。比如，条例第三条规定，如果一个纵向协议的供货方在其出售协议产品或者服务的相关市场上的份额不超过30%，或在独家销售情况下，买方在其购买协议产品或者服务的相关市场上的份

额不超过30%,该协议可以豁免。如果以后市场份额超过了30%,但未超过35%,第一次超过30%的年度以及随后两个年度仍可享受豁免;如果以后超过了35%,第一次超过35%的年度可以享受豁免。

此外,条例还对几种具体的纵向垄断协议进行了说明。1.企业集团与其成员之间或者企业集团与其供货商之间签订的纵向垄断协议,可以得到豁免。但其前提条件是集团的所有成员均为零售商,且集团中的任何成员与其关联企业的共同年度销售额都不超过5千万欧元。这是为了保护小零售商所做的规定。因为小零售商通过组成集团与生产商或者批发商交易可以获得较低的价格。2.从属性的知识产权转让协议可以得到豁免。即转让知识产权不是协议的主要目的,而是该转让关系到一定商品的购买、销售或者转售条件。比如出于销售一定商品的目的,买方有必要取得使用供货方商标或者商号的权利。据此,绝大多数特许经营协议可以得到豁免。3.条例所规定的豁免不适用于竞争者之间的纵向垄断协议。但是,在一定条件下,竞争者之间的非互惠性的纵向垄断协议可以得到豁免。这些条件包括:买方企业的年度销售额不超过一亿欧元;或者供货企业不仅是一定商品的生产商,而且是该商品的销售商,买方企业则仅是该商品的销售商;或者供货企业是在许多经济阶段提供服务,而买方企业在购买协议服务的阶段则不提供竞争性服务。

三、条例对纵向垄断协议不予豁免的情形及例外规定

条例第四条规定了黑色条款,即一个纵向协议一旦包括了这些条款,整个协议就不能豁免,而不管所涉及企业的市场份

额。比如:1.维持转售价格。如果一个协议固定买方的销售价格,或者强加一个最低销售价格,这个协议不能得到豁免。但是这一规定不影响卖方可以规定一个最高价格或者一个推荐性的销售价格。同时,禁止维持转售价格的规定不适用于代理销售协议。2.限制地域或者客户。一个纵向协议如果限制买方销售协议产品或者协议服务的地域或者客户,该协议不能得到豁免。但是如果协议禁止买方在卖方或在卖方为其他买方保留的独占地域或者专有客户群体进行销售(发布广告或者通过媒体、网络推销产品除外),且这种限制不影响买方客户销售的情况下,这个协议可以得到豁免。由于供货商往往会给自己和每个销售商分配一个独占地域,所以,绝大多数的销售协议可以得到豁免。

反垄断法中关于禁止滥用市场支配地位有关内容简介

一、市场支配地位的概念和认定标准

市场支配地位是指企业或企业集团能够左右市场竞争或者不受市场竞争机制的制约。即居于市场支配地位的企业不必被迫考虑竞争者或交易对手的反应就可以自由定价或者自由地做出其他经济决策。不同国家,对此使用的用语不同,比如有的国家称为“独占地位”。在反垄断法理论中,有不同的认定市场支配地位的标准,但通常要考虑两个因素,一是支配企业在相关市场的市场份额,二是其他经营者进入该市场存在障碍的程度。“相关市场”是指经营者就一定的商品或服务从事竞争的区域或者范围,主要包括商品市场和地理市场。“市场份额”是指特定企业的总产量、销售量或者生产能力在相关市场中所占的比例,又称为市场占有率。“进入障碍的程度”是指其他经营者进入该市场的难易程度。

二、一些国家和组织对市场支配地位的界定

1. 经济合作组织(OECD)在其《竞争法的基本框架》中规

定,如果一个经营者能够独立地在较长时间内有利可图地、实质性地限制或者减少竞争,则该经营者即拥有支配地位。一个经营者在相关市场中所占份额超过35%时,才能被判定为具有支配地位。根据相关市场的经济形势,一个占有35%以上市场份额的经营者可以被判定为支配企业,也可以被判定为非支配企业。市场经济形势包括经营者的市场份额、与其竞争的其他经营者的市场份额、扩大市场份额的能力、新的经营者进入该市场的可能性。

2. 德国《反限制竞争法》第十九条对支配地位的规定是:(1)没有竞争对手或没有实质性地竞争;(2)拥有较其竞争对手远为优越的地位,认定该优越地位时特别需要考虑市场份额、经济力量、其他企业进入的障碍等因素;(3)如果一个企业的市场份额不低于三分之一,三个以下企业的市场份额之和为二分之一以上,五个以下企业的市场份额之和为三分之二以上,即推定这些企业具有支配地位,除非这些企业能够证明其相互之间维持实质性竞争,或者其与另外的竞争对手相比,不具备远为优越的地位。

3. 韩国《规制垄断与公平交易法》第二条、第三条规定,支配地位的经营者是指作为一定交易领域的供给者或需求者,能够单独或者与其他经营者一起决定、维持或者变更商品、服务的价格、数量、品质及其他交易条件。判断支配地位时,应综合考虑市场占有率、进入市场障碍的存在及程度、竞争者的相对规模等。但是,在相关市场年销售额或者购买额不足十亿韩元的经营者除外。在相关市场的市场占有率符合以下条件者,推定为支配地位:一个经营者的市场占有率在50%以上;三个以下的经营者的市场占有率合计在75%以上,但是该情形中市场占有率不足10%的除外。

4.《欧共体条约》及美国有关反垄断的法律对支配地位未作具体界定。

三、滥用市场支配地位的概念及主要表现

(一)概念

拥有市场支配地位本身并不违法。但是如果拥有支配地位的企业滥用其市场支配地位,限制、阻碍了竞争,就要受到反垄断法的规制。滥用市场支配地位是反垄断法规范的主要内容之一,是指支配企业为维持或者增强其市场支配地位而实施的反竞争的行为,其特点是:1.行为主体具有特定性,即行为主体是在市场上具有支配地位的企业,而非其他企业。具有支配地位的企业可以是一个,也可以是若干企业的联合;2.行为目的具有特定性,即实施滥用行为是为了维持或增强其支配地位。3.行为本身具有反竞争性,即滥用行为是限制竞争的行为。

(二)滥用市场支配地位行为的主要表现形式

1.超高定价。即经营者所定商品或服务的价格与其产品或服务的经济价值相比过高。实践中对这一行为的认定较为困难,因为价格过高取决于多种因素。

2.掠夺性定价。是指支配企业以低于成本的价格销售商品,以便将竞争对手排挤出市场、阻止新的经营者进入市场以及成功地垄断该市场的行为。其代价是很高的,但支配企业期待将来实现的利润超过现在的损失,并能得到更多的利润。

3.拒绝交易。是指制造商拒绝向购买者,尤其是零售商或

者批发商销售商品的行为。

在拒绝交易行为中,有一种行为是拒绝进入关键设施,即支配企业对自己控制的关键设施,拒绝其他竞争者使用。实践中对这种行为的审查要考虑以下内容:一是具有市场支配地位的企业控制了某一关键设施,而其他竞争者不能再建其他同样的设施;二是其他竞争者进入关键设施是必要的,而不是为了便利或节省费用;三是支配者提供该设施的可行性;四是支配者拒绝其他经营者使用的理由。反垄断当局在审理这类案件时一般很慎重,避免过宽适用“关键设施原则”。允许其他竞争者进入关键设施的命令,只有在提供此种进入的收益超过损害时,才能做出。

4.歧视待遇。是指支配企业没有正当理由而对条件相同的交易对方提供不同的价格或者其他交易条件,致使有些交易对方处于不利的竞争地位。

5.搭售行为。是指支配企业强迫交易对方购买从性质、交易习惯上均与合同无关的产品或服务的行为。搭售的目的是为了将市场支配地位扩大到被搭售产品的市场上,或者妨碍潜在的竞争者进入。在判定搭售行为是否违反反垄断法时,首先应考虑搭售是否是一种不合理的安排,即搭售是否出于该商品的交易习惯;若将被搭售的商品分开销售,是否有损于该商品的性能或使用价值。其次应考虑该搭售行为是否具有反竞争的效果。

四、一些国家和组织对滥用市场支配地位行为的规定

从一些国家反垄断立法看,对禁止滥用市场支配地位行为

的规范，采取两种方式。一是概括式，即只做原则性禁止，不具体规定所禁止的滥用行为，美国等国家采取这种方式。二是概括加列举式，即在做出原则性禁止规定的同时，列举一些典型的予以禁止的滥用行为，欧盟及德国等采取这种方式。

1.《欧共体条约》第八十二条规定，一个或多个在共同市场内或者其中的相当部分地域内占有优势地位的企业滥用这种地位的任何行为，可能影响成员国之间的贸易的，因与共同市场不相容而被禁止，特别是禁止包含下列内容的滥用行为：(1)直接或者间接地实行不公平的买卖价格，或者其他不公平的交易条件；(2)限制生产、市场或者技术发展，损害消费者利益；(3)在相同的交易条件下，对交易当事人实行不同的交易条件，因而将一些交易当事人置于不利的竞争地位；(4)要求对方当事人接受在本质上或者商业惯例上与合同主题无关的附加义务，并作为签订合同的前提条件。

2. 俄罗斯《关于竞争和在商品市场中限制垄断活动的法律》第五条规定，禁止占有支配地位的经营者从事可能导致限制竞争，侵犯其他经营者或自然人利益的下列行为：出于制造或维持市场中商品短缺或抬高价格的目的而从市场中撤回商品；将对交易方不利或与合同无关的条款（无正当理由要求转让金融资产或其他财产、产权、人力等）强加给交易方；在合同中加入置一些交易方较其他交易方于不利地位的歧视性条款；对其他经营者进入或退出市场制造障碍；违反法令宣布的限价规则；维持垄断性高价或低价；对有需求的商品进行生产不会造成损失，却减少或停止生产；可以生产或供应某种商品，却无正当理由拒绝就该商品与特定购买者（消费者）缔结供货合同。如果经营者能够证明其行为的正面效果超过对特定商品市场的负面影响，则经营者从事上述行为将被视为合法。

3. 韩国《规制垄断与公平交易法》第三条规定，支配企业不得实施以下行为：不正当地决定、维持或者变更商品的价格或者劳务的对价；不正当地调节商品的销售或者劳务的提供；不正当地妨害其他经营者的经营活动；不正当地妨碍新的竞争者的参与；为了不正当地排挤竞争者而进行交易，或者可能明显损害消费者利益。

4. 美国《谢尔曼法》第二条规定，任何人独占或企图独占，或与他人联合、共谋独占州际间或与外国的商业和贸易，是严重犯罪。

反垄断法中经营者集中有关内容简介

一、经营者集中(合并)的情形

经营者集中是指经营者合并(指狭义的企业合并)、通过取得其他经营者的股份、资产以及通过合同等方式取得对其他经营者的控制权,或对其他经营者施加决定性影响的情形。经营者集中有可能产生或加强市场支配地位,导致垄断,损害竞争。因此,许多国家和地区都将经营者集中作为反垄断法的重要内容之一。

对经营者集中,不同国家、地区和组织有不同称谓,如德国称为合并,我国台湾地区称为结合。但多数国家、地区和组织对经营者集中情形的规定大致相同,主要包括企业合并、资产收购、股份收购等。具体规定是:

1. 日本《禁止私人垄断及确保公正交易法》(以下简称日本反垄断法)规定,经营者集中包括狭义的企业合并、股份的持有、营业的受让以及董事、监事、经理等高级管理人员的兼任等情形。

2. 欧盟《关于企业集中控制的第 139/2004 号条例》(以下简

称欧盟《合并条例》)规定,下列情形属于集中:两个或两个以上的独立企业之间的合并;企业或者对企业有控制权的人,通过购买证券或资产、签订合同等手段,获得对其他企业的控制权的行为。

3. 德国《反对限制竞争法》规定,下列情形构成合并:取得另一个企业的全部或大部分财产;取得另一个企业50%以上的股份或者取得的股份能够控制另一企业25%以上的表决权;取得对另一个或若干个企业的全部或部分的直接或间接控制;其他任何形式的企业联合,因该联合,一个或若干个企业可以直接或间接地对另一个企业施加竞争上的重大影响。

4. 我国台湾地区"公平交易法"规定,结合指企业有下列情形之一:与其他企业合并的;持有或取得其他企业三分之一以上的股份或出资额的;受让或承租其他企业全部或主要部分营业或财产的;与其他企业共同经营或受其他企业委托经营的;直接或间接控制其他企业的业务经营或人事任免的。

二、经营者集中(合并)的类型

根据合并当事人所处地位不同,可以将合并分为横向合并(也称水平合并)、垂直合并和混合合并。横向合并,是指相同产品的生产者或销售者之间的合并。横向合并直接导致竞争对手减少,使企业独占地位或企业间的协调更易形成或得到加强,从而产生反竞争效果。因此,许多国家的反垄断法对横向合并实施严格控制,反垄断机构发布"横向合并指南",阐明横向合并的分析方法,为企业避免因合并出现垄断问题提供指导。垂直合并,也称为纵向合并,是指处于不同生产阶段的企业间的合并。

垂直合并可能会增加市场进入的障碍,容易对那些与合并企业有竞争关系的企业以及消费者带来不利影响。混合合并,也称为多角化合并,是指来自完全不同市场企业间的合并,即参与合并的企业既没有竞争关系,又不存在买卖关系。混合合并可能会产生掠夺性定价和消除潜在竞争等反竞争效果。垂直合并和混合合并不影响企业的集中度,多数合并不会限制竞争,因而较少受到反垄断机构的干预。

三、一些国家、地区和组织关于经营者集中(合并)申报标准的规定

对经营者集中实行申报制度,由反垄断机构审查决定是否允许实施集中,是许多国家和地区监管经营者集中的主要手段。德国 1998 年以前的《反对限制竞争法》曾规定了合并后的申报制度,但为了防止反竞争效果的实际发生,避免对已经合并但经审查属于违法合并的情形再实施拆分等措施,多数国家和地区均要求在合并前进行申报,强调事前控制。由于多数经营者集中并不会限制竞争,因此只有那些对竞争产生不利影响的经营者集中才会受到反垄断法的规制。各国反垄断法规定了经营者集中的申报标准,只有达到申报标准的经营者集中才需申报,既减轻了一些合并当事人的负担,也保证了反垄断机构集中精力审查有违法嫌疑的重点个案。不同国家和地区规定的申报标准,大致有以下几种类型:

1. 参与合并企业的销售额。欧盟《合并条例》规定,参与合并的所有相关企业在世界范围内的合计销售额超过 50 亿欧元,并且相关企业中至少有两个企业在欧盟范围内各自的销售额超

过2.5亿欧元的，应当向欧盟申报；或者相关企业在世界范围内的合计销售额超过25亿欧元，在至少三个成员国中的合计销售额均超过1亿欧元，并且相关企业中至少有两个企业在至少三个成员国中各自的销售额均超过2500万欧元，在欧盟范围内各自的销售额超过1亿欧元的，也应当向欧盟申报，除非参与合并的各企业在欧盟销售额的三分之二来自同一个成员国。德国《反对限制竞争法》规定，符合以下条件须进行申报：参与合并的所有企业在合并之前的最后一个营业年度的全球销售额达到5亿欧元，且至少参与合并的一家企业在德国销售额达到2500万欧元。

2. 参与合并企业的总资产额。日本反垄断法规定，准备实施合并的公司，其中一家公司的总资产额超过100亿日元，另一家公司的总资产额超过10亿日元的，在合并前必须向公平交易委员会申报合并计划。

3. 交易金额以及参与合并企业总资产或净销售额。美国《克莱顿法》规定，有下列情形的企业合并需要申报：一是交易规模超过5000万美元但低于2亿美元，且拥有1000万美元以上总资产或净销售额的一方与拥有1亿美元以上总资产或净销售额的另一方合并；二是交易规模超过2亿美元的。

4. 市场占有率或销售额。我国台湾地区规定，企业结合有下列情形之一的，应提出申报：(1)企业因结合而使其市场占有率达三分之一。(2)参与结合的一企业，其市场占有率达四分之一。(3)参与结合的企业，其上一会计年度的销售额，超过主管机关规定的金额。

四、一些国家和地区关于经营中集中(合并)申报豁免的规定

一些国家和地区规定,已经形成控制与被控制关系的企业间的合并、受同一企业控制的企业间的合并不需要申报。具体规定是:

1. 美国《克莱顿法》规定,一个企业与其持有50%以上有表决权股份的另一个企业间的合并,免于申报。

2. 日本反垄断法规定,参与合并的公司之间互相持有超过50%的有表决权股份,或者同一家公司拥有每个参与合并公司超过50%的有表决权股份的,不需要申报。

3. 我国台湾地区"公平交易法"规定的申报豁免情形有:(1)参与结合的一企业已持有其他企业达百分之五十以上的有表决权股份或出资额,再与其他企业结合的;(2)同一企业所持有的有表决权股份或出资额达百分之五十以上的企业间结合的;(3)企业将其全部或主要部分的营业、财产或可独立营运的全部或部分营业,让与其独自新设的其他企业;(4)因公司回购股份,导致公司原有股东持有的有表决权股份达到三分之一以上的。

五、一些国家和组织关于经营者集中(合并)申报审查程序及审查标准的规定

一些国家和组织的反垄断法规定,合并调查分为初审和主审两个阶段。初审期一般为主管机关收到申报材料之日起的较短期间,如美国、德国、日本为30天,欧盟为25个工作日。主管

机关应当在该期间内对经营者集中进行初步审查,如果认为合并对市场竞争没有严重影响,应当在期满前做出批准合并的决定;主管机关逾期没有做出决定的,视为批准。如果认为合并对市场竞争有严重影响,主管机关应当在初审期内做出实施进一步审查的决定,由此该合并申报进入时间较长的主审期。

关于审查的实质标准,有观点主张分为“支配地位标准”和“实质性减少竞争标准”。“支配地位标准”是指反垄断法禁止取得或维持市场支配地位的合并,比如德国《反对限制竞争法》规定,如能预见合并将产生或加强市场支配地位,联邦卡特尔局应禁止合并。“实质性减少竞争标准”是指反垄断法禁止具有实质性减少竞争的目的或者后果的合并,比如美国《克莱顿法》规定,禁止实质上减少竞争或旨在形成垄断的合并。有学者认为,欧盟对合并的监管采取了上述两个标准,欧盟《合并条例》规定,合并如果严重妨碍共同市场或其大部分市场的有效竞争,特别是在产生或加强市场支配地位的情况下,该合并将因与共同市场不相容而被禁止。

值得注意的是,有的国家和地区规定,即使可能形成或加强市场支配地位或者限制竞争,但符合一定条件的合并仍被允许。具体规定是:

1. 德国《反对限制竞争法》规定,如果参与合并的企业能够证明其合并可以改善竞争条件,并且这种改善所带来的益处超过支配市场所造成的弊端,联邦卡特尔局不应禁止该合并。

2. 罗马尼亚《竞争法》规定,可能导致限制竞争的企业合并可以被允许,只要参与合并企业能够证明:(1)合并有利于提高经济效益、促进生产、销售或技术进步,或者有利于提升出口竞争力；(2)对竞争的影响足以弥补其限制竞争的不利影响；(3)在合理的范围内，消费者可以从合并的结果中获益。

3. 我国台湾地区“公平交易法”规定，对整体经济的利益大于限制竞争的不利益的企业合并，不得禁止。

六、一些国家和组织关于审查经营者集中(合并)申报应当考虑因素的规定

由于合并审查的标准通常较为原则，因此有的国家和组织对合并审查需要考虑的因素做了进一步规定。

1. 美国《横向合并指南》规定应当考虑的因素是：第一，进行市场界定，并采用赫芬达尔-赫希曼计算标准(HHI 指数)，根据每个市场参与者的市场份额的平方加总计算得出的结果判断合并后市场结构的集中度，决定是否需要对该合并做进一步分析。第二，分析合并所产生的潜在的反竞争后果，即分析该合并是否会使企业通过协同或者单独影响而减少竞争。第三，分析其他企业进入市场的难易程度。如其他企业能及时地、可能地和充分地进入该市场，从而阻止或抵消合并所产生的反竞争后果，则该合并就不会被认为有垄断问题。第四，分析合并给企业带来的效率。如果合并产生的效率能够抵消合并产生的反竞争后果，则该项合并将被允许。第五，考察参与合并企业中是否有濒临破产企业。如果合并破产在即的企业后的市场状况，优于不实施合并而使破产企业的资产退出相关市场的市场状况，则尽管对该合并已经进行了上述四项分析，该合并仍被认为不会产生反竞争的后果。

2. 欧盟《合并条例》规定，从是否与共同市场相容的角度对

合并行为进行认定时，应当考虑下列因素：第一，在共同市场内，特别是从所有相关市场结构和企业所处的欧盟内部或外部市场的实际或潜在竞争的角度，维持和发展有效竞争的需要；第二，相关企业的市场地位及其经济和资金影响力，供应商和用户的选择权及市场进入的障碍，相关产品或服务的供求趋势，中间商和最终消费者的利益，技术和经济的进步给消费者带来的实惠等。

反垄断并购案件中的市场界定问题

2007 年 2 月 22 日至 24 日，世界经合组织（OECD）在韩国召开了有美国、澳大利亚、新加坡、韩国、中国、印度尼西亚、泰国、越南等国家参加的反垄断法专题研讨会，就反垄断并购案件中如何界定相关市场以确定并购企业所占市场份额，从而判定该并购是否影响竞争的问题进行了研讨。法工委派人参加了此次研讨。现将有关内容介绍如下：

一、反垄断并购案件中的相关市场界定

企业并购是市场经济活动中经常发生的行为。大规模的企业并购可能造成在相关市场上企业所生产产品的份额过分集中，进而支配市场，形成垄断，企业因此可以提高价格，获得垄断利润，损害消费者利益。为防止垄断，保护竞争，多数国家和地区均对大规模的企业并购进行反垄断审查，通过分析并购行为发生后企业对市场的支配力，判断该行为对竞争的影响，决定是否允许并购。在进行上述分析时，首先要确定涉案企业的有效竞争范围。对这一范围的确定在反垄断法上称为相关市场界定。

企业从事经营活动，通常是在一定的地理范围内向其客户提供一定品质的产品和服务，企业间的竞争也主要是集中在相同的或可替代的产品上和一定的地理范围内。一条街上的服装店和饮食店不是竞争者，因为它们不属于同一产品市场。在中国销售的惠普打印机与在美国销售的惠普打印机也没有竞争关系，因为它们处于不同的地理市场。由此可见，企业的有效竞争范围主要取决于产品市场和地理市场两个因素。界定相关市场主要是界定这两个市场：

1. 产品市场，是指具有现实替代关系的产品范围。当消费者正在使用的 A 产品价格升高时，如果他们很容易地转向购买另一种他们认为可以被用于同种目的，且价格相差不大，可以相互替代使用的类似产品 B 时，那么，A 和 B 即属于同一市场的产品，如可口可乐和百事可乐、瓶装水和罐装水。在产品市场的界定中，产品需求的可替代性起决定作用。同一市场的可替代产品越多，可替代性越强，企业有效竞争的产品范围越宽，并购企业所占市场份额越小，垄断市场的可能性越小。

2. 地理市场，是指产品销售的地域范围。购买者在一个地区购买产品，因该产品价格提高而转向另一个地区购买，那么，这两个地区就属于同一地理市场。如果购买者只能在一个地区购买产品，当该产品价格提高时，无法或难以在其他地区购买到该种产品，那么购买者购买产品的地区即为一个地理市场。购买者在产品价格提高时可选择购买同种产品的地方越多，并购企业产品的有效竞争地域范围越广，并购行为对竞争的影响越小，企业越难以形成垄断。在产品销往全国并且运输成本不大的情况下，多数国家在其审判实践中将整个国家界定为一个地理市场，但对于消费品，如食品业、零售业有时也以区域性市场作为地理市场，而对于一些技术密集型的产业则可能将全球作为一个地理市场。对地理市场的界定还要考虑产品销售区域内市场准入的限制及产品或服务本身的限制，如运费、营销设施等其他因素。

二、相关市场的界定方法

市场界定是企业并购审查的出发点。没有市场界定，就无法计算产品的市场份额和判断其市场集中度。如果对市场的界定过窄，则可能导致并购不被允许，给企业造成负担，甚至影响经济的发展；反之如果界定得过宽，一些阻碍市场竞争的因素可能会被掩盖起来，导致反垄断机关做出错误判断，不利于保护竞争。鉴于市场界定的重要性，为避免反垄断审查机关在界定市场方面的任意性，提高市场界定的透明度，美国司法部在 1982 年的合并指南中首次提出了 SSNIP 界定法（假定垄断者测试法）以取代传统的产品功能界定法。1997 年，欧盟在其《市场界定通告》中也采用了 SSNIP 界定法。

1. 传统的产品功能界定法。该办法主要是依据产品在其功能、价格、用途上的合理互换性来界定产品市场，1956 年美国诉杜邦玻璃纸公司案确立了“合理互换原则”，即只有当两种产品在消费者看来具有合理互换性的情况下，才能认定这两种产品属于同一市场。在界定时，还要考虑产品的技术特征、耐用性、设备和投入方面的差异、市场竞争条件等诸多因素。由于越来越多的产品有多样化的物理特征和预期功能，要判断两种产品是否属于合理替代品，具有不同专业知识背景的人会做出不同的判断,因此,这种界定方法带有较强的主观任意性。

2. SSNIP 界定法,也可称为“假定垄断者测试法”。美国司法部在其 1982 年的合并指南中规定,一个市场是指一种产品或者一组产品以及生产或者销售这种或这组产品的一个地域范围。在该地域内,一个假设无须服从价格管制并且是追求利润最大化的企业,作为这些产品在当前和今后唯一的生产者或者销售者,在所有其他产品的销售保持不变的条件下,它可能会进行一个“数目不大但有意义且为期不短的涨价”(small but significant and non-transitory increase in price, SSNIP)。一个相关市场就是一组产品和一个范围上刚好满足这一检验标准的地域。这一方法是从合并后企业的一个假定的较窄的市场范围出发,逐步分析在其产品价格发生小幅、显著和非短期性变化情况下(一般假设价格上升 5% ~10%)企业盈利的变化情况,如果价格上涨后大多数消费者转向其他市场,那么企业就不能从涨价中获得盈利,原来作为分析起点的市场就应当被扩大到消费者转向的目标市场,这个测试一直进行下去,直到最后出现某一市场,在这个市场上企业可以通过涨价实现盈利。在这一过程中,在测试的每一阶段将产品的替代品都纳入到市场中来,这些产品形成一个组合,这个组合即为竞争分析所要界定的市场。这一方法建立在严密的经济学分析论证的基础上,减少了传统的产品功能界定法的主观任意性,被一些国家所采用。

三、界定相关市场的信息基础

对相关市场的界定是以大量的信息为基础的,因此,通过调查研究获得和使用有关信息十分重要。信息来源包括直接和间接两个方面,直接获取信息包括从并购方、客户和竞争者处获得有关资料和对他们及有关行业专家的直接访问;间接获取信息包括从政府的统计、贸易、产业等部门获得数据及从公共资源中如网络、报纸、科研文章、商业协会获取信息。同时,反垄断机构以往对在同一市场的同种产品的调查所积累的有关信息也是市场界定的重要参考。从各国反垄断实践看,反垄断审查部门首先要求并购企业提供有关企业的信息,包括:(1)一般情况,如客户名单、地址、联系方式,销售报告,与价格有关的文件,损益报告,与利润和成本有关的数据,市场能力的有关信息等;(2)分析性材料,如营业报告、市场计划、企业发展战略、客户与竞争者的分析。其次,反垄断审查部门会根据并购方提供的以及从公共资源和以往的调查材料中获取的有关信息确定市场的参与者并对其进行访问,以获取有关产品的替代程度和地域范围的信息,同时再综合分析有关的资料,最终确定市场范围。

多数国家的反垄断法都规定,有关的市场参与者有义务向反垄断审查机关提供有关的信息,接受其询问,违反的将被处以罚款。同时也规定,反垄断审查机关及其工作人员有义务为参加询问者提供的所有信息而不仅仅是敏感信息保密。

市场界定是反垄断审查的一项基础性工作,多数国家认为,无论是审查滥用市场支配地位的行为,还是并购行为,都需要对市场进行界定,界定的方法和标准也大体相同。

韩国对企业结合的监管制度

20世纪60年代初,为实现经济高速增长,韩国政府推行了经济开发政策,支持企业结合,并集中对极少数大企业进行扶持。此后,韩国经济进入高速发展阶段,到20世纪80年代,成为新兴工业国。但在经济发展的同时,也带来了经济力量过度集中于极少数企业和个人的弊端,导致市场功能扭曲、消费者福利降低等社会问题。为建立自由、公平的竞争环境,韩国于1980年制定了《规制垄断与公平交易法》(以下简称反垄断法)。此后又制定了《规制垄断与公平交易法施行令》。这两部法规对企业结合的监管做了规定。同时,韩国公平交易委员会还先后颁布了《企业结合的申报要领》、《企业结合审查标准》、《关于违反〈企业结合申报规定〉案件的罚款标准》、《不履行有关企业结合的纠正措施的履行强制金标准》等指南,对企业结合进行规范。现将有关制度简介如下:

一、受反垄断法规范的企业结合的情形

韩国反垄断法第7条规定,禁止任何人直接或者间接实施实质上限制竞争的企业结合行为,具体包括:(1)取得公司股份;

(2)公司高层管理人员或者一般从业人员(高层管理人员以外的持续从事公司业务的人员)兼任其他公司的高级管理职位,但限定于上一个年度的资产总额或者销售额在20,000亿韩币以上的大公司;(3)与其他公司合并,包括吸收合并与新设合并;(4)承受其他公司全部或者主要部分营业的让与、租借或接受其经营权,或者承受其他公司全部或者主要部分营业用固定资产的让与;(5)参与设立合资公司。

二、企业结合的申报

1. 申报对象。韩国反垄断法区分企业规模,对企业结合分别规定了事前申报和事后申报制度。反垄断法第12条规定,资产总额或者销售额在1,000亿韩币以上的公司,直接或者间接进行符合以下各项规定之一的企业结合时,应当在企业结合完成后向公平交易委员会申报:(1)持有其他公司有表决权股份总数的20%以上的(上市公司有表决权股份总数的15%以上的);(2)兼任高级管理人员的;(3)合并或者经营转让的;(4)拥有新设公司20%以上股份的。对于资产总额或者销售额达到20,000亿韩币以上的公司,则规定在实施企业结合前要向公平交易委员会申报,以避免通过合并达到市场支配地位。

2. 申报期限和等待期间。符合事后申报规定的企业结合,应当自企业结合之日起30日内向公平交易委员会申报。符合事前申报规定的企业结合应当自合并合同、经营转让合同缔结之日或股东大会(或者董事会)对公司设立做出决议之日起30日内进行申报,在申报后30日内,不得实施合并登记、履行经营转让合同和接受股份等行为。

公平交易委员会接到申报后，应当在 30 日内向申请者通知审查结果。但公平交易委员会认为必要时，可以缩短该期限，或延长该期限，但延长不得超过 60 日。

3. 申报事项。申报当事人应当按照《企业结合申报要领》的规定，提交记载申报义务人与对方公司的名称、销售额、资产总额、经营情况和该企业结合的内容及关联市场状况（如参与合并者的市场份额）等申报资料；同时需要附加必要的相关文件证明申报内容。

4. 申报豁免。符合以下各项规定之一的企业结合，不需要申报：（1）依照《中小企业创业支援法》，由中小企业创业投资的公司和风险投资企业进行的企业结合；（2）有关中央行政机关的长官依照其他法律的规定，事先与公平交易委员会进行协商的企业结合。

三、企业结合的审查标准

韩国反垄断法只禁止在相关市场内实施实质性限制竞争的企业结合。"实质性限制竞争"是指为了减少在相关市场内的竞争，特定事业者或事业者团体随意决定价格、数量、品质以及其他交易条件，对竞争产生影响或者可能产生影响。

市场份额是公平交易委员会判定企业结合"实质性限制竞争"的重要标准。但"市场份额标准"的计算方法比较复杂，计算难度大，成本高。为此，韩国立法机关于 1996 年 12 月修改了反垄断法，设立了"推定限制竞争制度"。根据反垄断法第 7 条第 4 款的规定，企业结合符合以下条件之一，就推定为在一定交易领域内存在"实质性限制竞争"：（1）进行企业结合的一家公司的市场占有率达到50%以上;(2)进行企业结合的三家以下的公司的市场占有率达到75%以上,但是其中有的公司的市场占有率未满10%的除外;(3)通过企业结合形成的新公司的市场占有率将在一定交易领域内居于第一位;(4)通过企业结合形成的新公司与市场占有率仅次于其的公司的市场占有率差额超过25%。

但是,市场份额并不是判断是否"实质性限制竞争"的唯一标准。在执法实践中,还要综合考虑企业结合前后的市场集中度及其变化趋势、市场准入的难度、商品的可替代性、市场的封锁效果、经济运行效率和企业的定价能力等相关因素。

四、禁止企业结合的豁免

韩国反垄断法原则上禁止限制竞争的企业结合。如果某项企业结合虽然限制竞争,但其所带来的积极效果远远大于消极效果时,则构成禁止企业结合的豁免情形。韩国反垄断法及《企业结合审查标准》规定的豁免情形是:

1. 提高经济效率的企业结合,即公平交易委员会认定企业结合"提高效率的益处"比"限制竞争的弊端"大,则不适用限制企业结合的规定。根据《企业结合审查标准》,豁免对象应符合以下要件:(1)提高效率的益处是指短期内能在生产、销售、研发等环节节约有关费用或增加社会就业;(2)这样的效率提高应当是除企业结合外的方法难以达到的;(3)效率提高带来的益处应当大于因限制竞争所导致的弊端。

2. 救济濒临破产的企业的结合。濒临破产的企业与具有竞争力的企业进行合并是其最好的出路,这在一定范围内能够同时满足股东、债权人以及企业职工的利益,有利于减少社会资源的浪费,降低社会失业率,维护社会稳定,尽快恢复市场的竞争秩序。根据韩国反垄断法和《企业结合审查标准》的规定,财务状况恶化,已处于资不抵债状态,或者不能在短期内恢复偿债能力的公司,与其他公司的结合如果符合以下两个条件,可以得到豁免:第一,如果不结合,该公司的生产、运输等设备在市场上难以继续利用;第二,该结合对市场竞争的不利影响较小。

五、违反限制企业结合有关规定的法律责任

韩国反垄断法对违反限制企业结合有关规定的行为规定了严格的制裁措施,公平交易委员会不但处罚违法企业,而且对其直接责任人也予以处罚。

1. 反垄断法第 69 条第 2 款规定,在规定的申报期限内,没有进行企业结合申报或者虚假申报的,对事业者或者事业者团体,处以 1 亿韩币以下的罚款;对高级管理人员、从业人员或者其他利害关系人,处以 1000 万韩币以下的罚款。

2. 反垄断法第 16 条规定,公平交易委员会对违反限制企业结合规定的企业,可以命令其采取以下纠正措施:第一,中止该行为;第二,出售全部或者部分股份;第三,辞退高级管理人员;第四,转让营业;第五,取消债务担保;第六,公布违法事实;第七,采取能够防止因企业结合造成限制竞争的营业方式,限制营业范围;第八,其他纠正违法行为的必要措施。此外,为了确保纠正措施的执行,反垄断法规定,接到出售股份命令的企业,自接到该命令之日起,对该股份不能行使表决权。对于违反有关限制企业结合规定而进行合并或者设立公司的,公平交易委员

会可以向法院提起该公司的合并或者设立行为无效之诉。

3. 反垄断法第 17 条第 3 款规定,对接到公平交易委员会纠正措施后在规定的期限内不履行的,公平交易委员会可以命令其缴纳每日不超过以下各项规定金额的万分之三的履行强制金:第一,对于以取得股份或参与新设公司方式进行的企业结合,为取得或者持有股份的账面价值和承担的债务的实际金额;第二,对于以合并方式进行的企业结合,为以合并对价交付的股份的账面价值和承担的债务的实际金额;第三,对于以经营转让方式进行的企业结合,为经营转让的金额。此外,对于以兼任高级管理人员方式进行的企业结合,公平交易委员会可以命令其每日缴纳 200 万韩币以内的履行强制金。

4. 公平交易委员会对严重违反规定而进行企业结合者,可以处以 3 年以下有期徒刑或者 2 亿韩币以下的罚金。

一些国家对经营者集中的“国家安全审查”制度

一些国家在对经营者集中实施反垄断审查的同时,规定对外资并购国内企业实施国家安全审查。从目前掌握的资料看,有关国家法律对国家安全审查的规定都较为原则,对“国家安全”的含义未做具体规定;一些国家还规定,对一些特定行业的外资并购实施更加严格的限制。简介如下:

一、美国

按照美国有关法律的规定,经营者集中,除了接受司法部和联邦贸易委员会实施的反垄断审查外,对涉及国家安全的,还要接受外国投资委员会实施的国家安全审查。

美国的外国投资委员会成立于 1975 年,其最初的职能是评估和监督外国投资对美国的影响,对于外资并购并没有否决权,主要使用的是劝阻机制。1988 年,针对危及美国国家安全的外资并购案件的日益增多,美国国会通过了埃克森 - 佛罗里奥条款,作为 1950 年通过的《国防生产法》的修正条款。根据该条款,美国总统可以在特定条件下否决外资并购;同时,美国总统可以授权外国投资委员会对某项外资并购是否危及国家安全进行调查，并向总统提交否决该项并购的建议。外国投资委员会根据上述条款和总统的授权，对外资并购实施国家安全审查。

美国的外国投资委员会由 12 个部门组成，主席由财政部长担任，委员包括财政部长、国务卿、国防部长、总统安全事务助理、国土安全部长、总统经济事务助理、商务部长、司法部长、美国贸易代表办公室、经济顾问委员会、管理和预算办公室、科技政策办公室。此外，委员会在审查外资并购时，还将咨询能源署、中央情报局等机构的意见。

对于"国家安全"，埃克森 - 佛罗里奥条款并没有给出明确的定义，它仅要求：当总统有"可信的证据证明实施控制的外国利益有损害国家安全的威胁"并且总统"无法根据其他法律规定来适当、恰当地维护国家安全"时，可以否决该项并购。同时，该条款列举了一些进行国家安全审查时应考虑的因素：(1) 预期的国防要求所需要的国内生产；(2) 国内产业满足国防要求的能力，包括人力资源、产品、技术、原料及其他供应和服务；(3) 外国公民对国内产业和商业活动的控制，影响到美国满足国家安全需要的能力；(4) 以特定国家为对象的军用物资、装备、技术的销售，这些特定国家包括：由国务卿认定的支持恐怖主义的国家、由国务卿认定的导弹或者生化武器的扩增国家、列名于"核扩散特别国家名单"的国家；(5) 对美国在与国家安全有关的高端技术领域的世界领先地位的影响。同时，按照 1992 年美国国会通过的该条的修正案的规定，外国政府可能对美国企业实施的间接控制和利用，也是实施国家安全审查应当考虑的因素。

二、加拿大

加拿大对外资并购的国家安全审查由加拿大投资局负责，但在法律中对外资并购的审查并没有明确的“国家安全”标准，而是以“净利益”标准进行判断。根据加拿大1973年外国投资审查法和1985年加拿大投资法的规定，外资并购加拿大企业，应当经过批准；只有该并购对加拿大具有“净利益”，才能获得批准。

对于“净利益”的具体考虑因素包括：(1)投资对加拿大经济活动的水平和性质的影响，包括对就业、资源开发、加工和出口的影响；(2)在企业或者该产业中加拿大人参与的程度及重要性；(3)投资对加拿大生产率、产业效率、技术开发、产品创新、产品品种的影响；(4)投资对加拿大产业内部竞争的影响；(5)投资与国家政策、产业政策和经济政策的一致性；(6)投资对加拿大国际竞争力的贡献。

此外，加拿大规定了四大敏感行业，对于这四大行业的外国投资予以严格限制或者禁止：(1)金融(银行、证券、保险、信托业等)；(2)能源(石油及天然气、电力、核能等)；(3)交通；(4)文化与通讯(广播、出版、电讯等)。

三、英国

英国并没有专门针对外资并购的国家安全审查制度，而是在相关法律中分别对这一内容进行规定。

英国1975年《工业法》规定，英国的重要制造业企业(如军工企业、航天企业等)的控制权转让给非英国居民，从而与“英国的利益”相抵触时，英国政府有权禁止该转让。同时，按照该法修正案的定义，“英国的利益”是指“与公共政策、公共安全或者公共健康有关的利益”。

此外，英国1973年《公平贸易法》规定，经营者集中“违反公共利益”时，不得实施。在判断是否违反“公共利益”时，应当考虑以下因素：对英国市场竞争的影响、消费者权益、新产品研发、成本削减、对工业和就业的平衡配置的影响、对英国企业在海外的竞争行为的影响等。这些因素中实际上也包括了国家安全的内容。

四、法国

法国对外资并购的国家安全审查，由财政部依据外国投资法的规定进行。

按照2004年法国《外国投资法》的规定，当外资并购涉及以下十一类“战略性产业”时，应当接受国家安全审查：(1)博彩业；(2)政府管制的保安护卫业；(3)研发对恐怖分子可能使用生化攻击手段的防护方法并制造相关物质的产业；(4)窃听、窃照及监听器材产业；(5)与信息系统或产品安全有关的审核服务业；(6)为关键产业的国有或私营公司提供信息系统安全或服务的产业；(7)可军民两用的技术或项目的相关产业；(8)提供密码产品或服务的产业；(9)有关私人保密信息的产业；(10)生产、研发、销售武器弹药、可用于军队或战争爆炸物质或其他禁限材料的行业；(11)与国防部有任何形式的合同或承包关系的企业所进行的可军民两用的技术、项目或上述武器弹药等的研发生产销售有关的行业。

当财政部认为上述行业的外资并购有特定的犯罪(如毒品贩卖、卖淫、洗钱、恐怖活动或者为恐怖活动提供资助、贿赂及商业贿赂、共谋犯罪)嫌疑的,应当拒绝。

此外,财政部为了以下因素,也可以拒绝上述行业的外资并购:(1)保证国家利益不受损害;(2)能够在将来保护业务经营的连续性及生产、研发能力和相关技术;(3)供应链不受损害;(4)涉及军工、国防产业政府采购合同的法国公司的业绩不受威胁等。

五、德国

德国对外资并购的国家安全审查,主要由经济技术部依据《对外贸易和支付法》进行。按照该法的规定,德国政府可以"对德国经济有不良影响"或者"与德国的自由秩序和宪法秩序不相协调"的交易进行限制。同时,德国政府可以根据"保护德国的重大安全利益"、"杜绝对与其他国家和平共处的扰乱"、"防止对德国的外交关系的重大扰乱"、"对德国政治和安全利益的损害"、"对德国国防的损害"等因素,对涉及国家安全的交易进行限制。

六、日本

日本对外资并购的国家安全审查,由财政部或者其他主管部依据《外汇及外贸法》的规定进行。按照该法的规定,如果外资并购涉及下列情况,可能属于"有关国家安全的外国直接投资"的,应向财政部或者其他主管部门进行申报:(1)损害国家安全;(2)扰乱公共秩序;(3)妨碍公共安全保护;(4)对日本正常经济管理有重大不利影响等。财政部或者其他有关主管部省可以否决危害国家安全的并购。但是,法律没有规定在认定某一投资是否为“有关国家安全的外国直接投资”时应考虑的因素,具体内容只能根据实际情况个案认定。

反垄断法适用除外规定简介

一、反垄断法适用除外的概念

反垄断法的适用除外,是指对特定行业、特定企业或特定行为不适用反垄断法的一种法律制度。适用除外的对象主要涉及对维护本国整体经济利益和社会公共利益有重大意义的行业或领域,以及对市场竞争关系影响不大,但对社会整体利益有益的限制竞争行为。适用除外制度是反垄断法律制度的重要组成部分,对于促进国家经济发展,实现国家产业政策,保护社会公共利益具有重要作用。各国对反垄断法适用除外的规定采取三种方式:一是在反垄断法中明确规定哪些不适用,二是在专门法中规定对反垄断法的不适用,三是通过司法判例解决。

二、一些国家对适用除外规定的变化及特点

1. 从一些国家反垄断法适用除外制度规定的沿革看,自然垄断行业属于传统的反垄断法适用除外领域。随着各国经济的发展,对这些领域的管理体制进行了改革,逐步引入竞争机制,对多数自然垄断行业不再实行全行业的适用除外。比如德国取消了对电力、天然气、交通等大部分行业的垄断豁免。日本 1996

年的《禁止私人垄断及确保公正交易法》规定，铁路、电力、煤气及其他性质上属于自然垄断行业的经营者所实施的该行业所固有的生产、销售或者供应行为不适用本法；但日本于2005年修改该法时删除了这一规定。目前，各国对适用除外规定的趋势是限于特定行为而不是整个行业。

2. 市场经济发达国家对反垄断法的适用除外制度规定得非常完善，而且根据本国经济发展的不同阶段不断修改适用除外的规定，以符合本国经济发展的需要。比如日本除在其《禁止私人垄断及确保公正交易法》中规定适用除外问题外，还颁布了专门的适用除外法。这些适用除外规定避开了反垄断与本国经济发展的矛盾，起到了保护企业、培育国际竞争力的作用。随着日本经济的不断发展，国际竞争力的增强，其根据本国实际情况不断修改适用除外的规定，直至废除了适用除外法。目前日本有14部法律有适用除外的规定。

三、一些国家、地区和组织对反垄断法适用除外情形的规定

1. 银行、保险业的某些行为。如果对这些行业的竞争不做限制，因竞争而引起动荡或使企业破产，对于存款人、被保险人的利益及社会安定都会发生重要影响。因此，各国对这些行业的一些限制竞争行为规定了适用除外，即这些行业可以在贷款政策、利率、保险费率等方面进行横向联合或共同行动以避免过度竞争。比如，德国《反对限制竞争法》第29规定，信用机构或保险企业联合会的协议、决议和建议，可以豁免适用本法关于纵向垄断协议的规定。美国《麦克卡兰－费古森法》授权州政府对保险业进行规制，只有在州政府对保险业未进行规制的，保险业

才适用反垄断法，该法颁布后，各州都制定了规范保险业的规则，使保险业不受反垄断法调整（保险业中的联合抵制等行为除外）。但目前，美国法院通过对“保险业”做狭义解释，对“联合抵制”做宽泛界定，使保险业豁免适用反垄断法的范围缩小。

2. 对农业、林业、渔业的某些行为。农、林、渔业对自然条件有很强的依赖性，生产者不便适应市场供求和价格的变化而迅速转产。同时这些行业在国民经济中居于基础地位，影响人民基本生活需求。因此，许多国家不仅允许生产经营者订立限制竞争协议，而且国家往往还规定最低保护价格，或由国家给予补贴，或由国家直接参与购销活动。比如加拿大规定，渔夫或渔夫协会同特定人员或协会之间关于在特定条件下捕鱼，并以特定价格供鱼的协议不适用反垄断法。美国《克莱顿法》规定不禁止为合法目的而采取互助措施的农业和园艺组织的活动。同时，根据美国《凯普－伏尔斯蒂德法》及《合作推销法》的规定，农产品生产者有权在生产、收集、储存、经销农产品方面进行合作，共同行动，并视其为一个主体，有权设定联盟政策和固定农产品价格（仅限于内部协作，对外行为如固定销售价格行为则受反垄断法规制），并对农业合作社的一些行为予以豁免。

3. 特定组织和人员。根据各国惯例，工会、消费者协会、特定企业组合等组织及人员在实现自己合法目的的同时，违反了反垄断法的规定可以不受追究。比如，加拿大规定，联合企业或工人、职员合理保护自身利益的活动，以及雇主直接或通过企业、企业签订的关于雇员工资和雇用条件的集体协议不适用反垄断法。美国《诺里斯－拉瓜迪亚法》规定，工会为促进其成员的合法利益所从事的活动，即使损害商业竞争也免受反托拉斯法的约束。

4. 知识产权。一些国家和地区反垄断法明确规定依照知识产权法行使的行为不适用反垄断法，但是对滥用知识产权的行为则不予豁免。比如，日本规定，被认为是行使著作权法、专利法、实用新型法、外观设计法或商标法所规定的权利的行为不适用反垄断法。我国台湾地区规定，依照著作权法、商标法或专利法行使权利的行为，不适用反垄断法的规定。

5. 某些体育项目。美国不适用反垄断法的体育项目主要是棒球。根据判例，职业棒球联盟对职业运动队数量及其分布范围的控制，对棒球运动员转会自由的限制等不受反垄断法的约束。同时，根据《体育运动广播法》的规定，任何由有组织的职业联合会包括足球、棒球、篮球和曲棍球联合会签订的广播权转让协议、职业足球联盟的合并行为不适用反垄断法。德国《反对限制竞争法》规定，体育协会集中转让其依章程举行的体育比赛的电视转播权的行为不适用本法第一条关于禁止垄断协议的规定。

6. 国家专营、专卖，是指国家基于社会经济总体和长远利益及政治、国防和其他国计民生等方面的政策性考虑，不仅允许垄断，而且还规定由国家直接投资经营，并在一定程度上排除非国家资本的进入，比如烟草、食盐、铸币。

此外，根据美国的司法判例，州政府作为主权单位，其限制竞争的行为不适用反垄断法。1975 年以前，州行为豁免适用反垄断法的范围不断扩展，从 1975 年开始，法院开始限制州行为适用除外的范围。2001 年美国联邦贸易委员会召集了一个州行为特别工作组，试图对州行为豁免制度的适用提供更具操作性的标准。

有关国家、地区和国际组织对垄断行为处罚的规定

有关国家、地区和国际组织对垄断行为一般都规定了处罚措施，但处罚的形式不尽相同。欧盟及其成员国一般采取行政罚款的形式；美国对有的垄断行为定性为犯罪，实行罚金等刑事处罚，对有的垄断行为则进行民事罚款；日本和韩国也对垄断行为规定了刑事处罚，同时规定对有的垄断行为（如达成垄断协议）征收课征金。现将有关国家、地区和国际组织对垄断行为的处罚规定简介如下：

一、对经营者达成垄断协议的处罚

1. 美国《谢尔曼法》规定，法人违法时处以 1 亿美元以下的罚款，个人违法时，处以 100 万美元以下的罚款或者单处或并处 10 年以下徒刑。具体罚金数额应相当于违法行为所获得的利益，或者是违法行为所造成的损失金额的 2 倍。

2. 欧盟理事会《关于执行欧共体条约第 81 条和第 82 条竞争规则的 1/2003 号条例（2002）》、德国《反对限制竞争法（2005）》、《罗马尼亚竞争法》规定，对经营者达成垄断协议的行

为，可以处以企业上一营业年度总销售额的10倍以下的罚款。

3. 瑞典《竞争法》规定，对经营者达成垄断协议的行为，应瑞典竞争局的要求，斯德哥尔摩法院可以要求企业支付行政罚款。罚款应当不低于5000瑞典克朗，不超过500万瑞典克朗，或虽超过500万瑞典克朗但不超过企业前一个营业年度营业额的10%。

4. 法国《关于价格和自由竞争的法律》规定，对经营者达成垄断协议的行为，竞争审议委员会可以处以罚款。对企业的最高罚款金额，为该企业上一会计年度在法国境内未税营业额的5%。对非企业的最高罚款金额为1000万法郎。

5. 日本《禁止私人垄断及确保公正交易法》规定，对经营者实施的私人垄断及不正当交易限制行为，公正交易委员会可以责令该事业者，以该行为实行之日起到结束之日止的期间（如该期间超过3年的话，则以该行为的事业活动结束之日起向前追溯3年的期间），依政令就该商品或劳务所规定的计算方法计算出的销售额乘以10%（零售业为3%，批发业为3%）得出的金额作为征收课征金的数额标准，征缴后上缴国库。同时规定，对经营者实施的私人垄断和不正当交易限制行为，还可以处以500万日元以下的罚金。

6. 韩国《规制垄断与公平交易法》规定，对经营者达成垄断协议的行为，公平交易委员会可以命令其缴纳不超过总统令规定的销售额5%的范围内的课征金。但是，对于无销售额的情形，可以命令其缴纳不超过10亿韩元范围内的课征金。对实施上述违法行为的事业者团体，处以3年以下徒刑或者2亿韩元以下罚金。

7. 巴西《反垄断法》规定，对经营者达成垄断协议的行为应当实行以下反垄断罚则：第一，对于公司，处以最近一个财政年度税前总收益的1%到30%的罚金，该罚金不得少于公司违反经济秩序行为所得的利益（在该利益可估算的前提下）；第二，对于直接或间接对公司的违法行为负有责任的经理人员，处以上述公司罚金的10%到50%的罚金，由经理个人独立承担；第三，对于其他公众或私人法律实体，以及事实上或法律上成立的实体或个人组织，包括暂时成立的，拥有或没有合法身份的组织，总销售收益无法计算的，处以6000到60000联邦政府公债指数的罚款或以其他指数计算的罚款。

8. 我国台湾地区“公平交易法”规定，对经营者达成垄断协议的行为，可以对行为人处以3年以下有期徒刑、拘役，并可对违法行为人和企业处以1亿元新台币以下的罚金。

二、对经营者滥用市场支配地位的处罚

1. 美国《谢尔曼法》规定，任何人垄断或企图垄断，或与他人联合、共谋垄断州际间或与外国间的商业和贸易，是严重犯罪。如果参与人是公司，将处以1000万美元以下罚款；如果参与人是个人，将处以100万美元以下的罚款，或3年以下监禁，也可由法院酌情并用两种处罚。但据美国司法部和联邦贸易委员会官员的介绍，目前美国司法实践中对滥用市场支配地位的行为只是以法院禁令的形式予以禁止，而不对其进行处罚。

2. 韩国《规制垄断与公平交易法》规定，发生经营者滥用市场支配地位的行为时，公平交易委员会可以命令该经营者缴纳不超过总统令规定的销售额3%的范围内的课征金。但是，对于

依总统令规定的、无销售额或者销售额难以计算的情形，可以命令其缴纳不超过10亿韩元范围内的课征金。同时，可以对经营者处以3年以下徒刑或者2亿韩元以下的罚金。

3.欧盟、德国、瑞典、法国、巴西、罗马尼亚、日本以及我国台湾地区对滥用市场支配地位的处罚与对垄断协议的处罚相同。

三、对经营者违法实施集中的处罚

1.美国《克莱顿法》规定，任何企业或其管理人员、董事、合伙人等，若不遵守关于集中控制的规定，对其违反该法的每天处以1万美元以下的处罚，该处罚可以由民事诉讼的方式获得。

2.欧盟部长理事会《关于控制企业集中的139/2004号条例（欧共体合并条例）》规定，对因当事人故意或过失导致未及时进行申报或进行虚假申报，或者违反欧盟委员会的决定实施企业集中时，欧盟委员会可对相关当事人处以罚款。因当事人故意或过失导致未及时进行申报或进行虚假申报的，罚款金额在参与集中的企业总营业额的1%以下，违反欧盟委员会的决定实施企业集中的，罚款金额在参与集中的企业总营业额的10%以下。同时，欧盟委员会可以做出决定对违反规定实施集中的个人、企业或企业协会自决定确定之日起每迟延一天处以参与集中的企业的平均每天营业总额5%以下的定期罚款。

3.德国《反对限制竞争法》规定，对经营者违反关于集中控制的程序性规定的，可以处以100万欧元以下的罚款。对违法实施经营者集中的，可以处以企业前一营业年度总销售额的10%以下的罚款。

4.罗马尼亚《竞争法》规定，未按照法律规定进行集中申报的,可以处以参与集中的企业前一财政年度销售总额1%的罚款。对于违法实施集中的,可以处以参与集中的企业实施集中前一财政年度销售总额10%的罚款。

5. 日本《禁止私人垄断及确保公正交易法》规定,经营者违法实施集中的,处以200万日元以下的罚金。

6. 韩国《规制垄断与公平交易法》规定,对于违法的经营者集中,在规定期限内不改正的,公平交易委员会可以命令其缴纳金额为每日不超过以下各项规定的金额的万分之三的范围内的履行强制金:(1)对于以取得或者持有其他公司的股份、参与设立新公司的方式实施集中,为取得或者持有股份的账面金额和接收的债务的合计金额;(2)对于以与其他公司合并的形式实施集中的,为作为合并之对价交付的股份的账面金额和接收的债务的合计金额;(3)对于以接受其他公司的营业转让实施集中的,为受让营业的金额。对于通过"职员兼任"的形式实施集中的,公平交易委员会可以命令其缴纳金额为每日200万韩元的范围内的履行强制金。同时,对于违法实施集中的,可以处3年以下徒刑或者2亿韩元以下罚金。

7. 我国台湾地区"公平交易法"规定,对经营者违反法律规定实施集中,或者在反垄断执法机构做出禁止其集中的决定后仍然集中的,可以处新台币10万元以上5000万元以下的罚款。

8. 巴西对经营者违法实施集中的处罚,同对达成垄断协议和滥用市场支配地位的处罚是一致的。

知识产权保护与反垄断

一、知识产权保护与反垄断的关系

知识产权是一种无形财产权，包括专利权、商标权、著作权、专有技术等。知识产权具有专有性或排他性，即法律赋予知识产权权利人对特定客体如专利、商标等的独占权，权利人可以在法律授权的范围内排他性地享有或者行使其权利。基于此，知识产权权利人可以在一定时间和一定领域内就某种产品的生产或者销售取得市场优势地位甚至是市场支配地位，这对竞争会造成一定的影响；同时，还有权许可他人使用其知识产权，如果知识产权权利人在许可协议中附加一定的限制性条件，也会在一定程度上排除和限制竞争。但是，行使知识产权对竞争的限制，是法律对各种利益关系进行权衡利弊后所允许的，即为了促进技术创新、提高竞争力而不得不对竞争产生一定的限制。因此，因知识产权而形成的垄断地位以及因知识产权的行使而对竞争的限制，是基于法律的授权，是合法的。各国一般将依法行使知识产权的行为作为反垄断法的适用除外情形。

另一方面，如果知识产权的权利人超出法律对其专有权规定的范围而滥用其权利，以谋取或加强其垄断地位，这种权利是不受保护的，这种行为如果排除、限制了竞争，应当受反垄断法的调整。

从理论界以及各国实践看，知识产权保护与反垄断的关系是：

第一，只要知识产权的获得和行使是合法的，没有超出权利自身的范围，即使因行使知识产权的行为而排除或者限制了竞争，也不适用反垄断法。

第二，同其他民事财产权一样，知识产权也存在超出其权利自身的范围而被滥用的情形。例如，专利权人在许可他人使用其专利时附加不合理的限制条件（如以搭售某种商品作为实施许可的条件），就超出了其权利的范围，构成知识产权的滥用。知识产权的滥用行为应为法律所禁止。

第三，知识产权的滥用行为有多种形式，有的行为构成排除、限制竞争，有的则不构成。只有滥用知识产权，构成排除、限制竞争的行为才应当受反垄断法调整。

第四，滥用知识产权排除、限制竞争不是一种独立的垄断行为类型，而根据其具体表现形式，分别属于纵向垄断协议或者滥用市场支配地位的行为。

对于知识产权滥用所包括的具体行为，世界贸易组织在《与贸易有关的知识产权协议》中有所涉及，其第四十条第二款规定，各成员方可以在与该协议的其他规定相一致的情况下，根据该成员的有关法律和规章，采取适当的措施制止或者控制那些可能构成对知识产权的滥用、在市场上对竞争产生不利影响的订立许可合同的做法或者条件，如独占性回授（要求被许可人对许可的知识产权有所改良时有义务反馈给许可人,或者被许可人在使用许可的知识产权过程中所获得的新知识产权必须给予许可人独占或者独家许可)、禁止对知识产权有效性提出质疑以及强迫一揽子许可(要求被许可人在接受其所需要的知识产权时,必须同时接受其他知识产权的使用许可)。

二、一些国家、地区和组织在反垄断法或相关条例中对知识产权的规定

根据目前掌握的资料,有的国家、地区在其反垄断法中原则规定依法行使知识产权的行为不适用反垄断法,并在相关条例或指南中对知识产权许可协议中的限制性条款能否豁免适用反垄断法做出具体规定。还有的国家或国际组织在反垄断法律中未涉及知识产权内容,而是在条例或指南中做出具体规定。

1. 欧盟。欧盟 1996 年颁布了《对技术转让协议适用欧共体条约第 81 条第 3 款的条例》(以下简称 96 年条例),以列举的形式对技术转让协议中的限制性条款应受反垄断法禁止、不予禁止和可以得到豁免的条件和范围进行了规定,对评判知识产权权利人行使其权利是否违反反垄断法提供了具体的判断标准。其中列举了七种可能对竞争产生严重影响而不能得到豁免的许可合同条款,主要包括:价格约束(限制被许可人确定许可产品价格、价格组成或者折扣)、禁止竞争(禁止一方当事人在欧盟市场上与另一方或与其相关的企业在竞争产品的研究、开发、生产和销售方面进行竞争)、限制用户(互为竞争对手的生产商之间订立的许可合同,限制一方在相同的技术领域或相同的产品市场上只能与特定的顾客交易、或限定销售方式、或为分配顾客禁

止对该产品采用特殊包装）、限制数量以及强迫被许可人将其在使用许可技术中获得的、改进的或新的使用方法，全部或者部分地转让给许可人等。

2001年底，欧盟委员会发布了一个关于96年条例实施情况的调查报告。报告认为96年条例过于复杂和拘于形式，没有更好地考虑到市场的实际需要。建议不再采用列举的方式，而是通过制定一个“宽泛的、伞状的”豁免条例及详尽的“指南”，对技术转让协议中的限制性条款进行规定。据此，欧盟于2004年5月1日开始实施《技术转让协议集体适用欧共体条约第81条第3款的772/2004号条例》（以下简称04年条例）以及配套指南，96年条例被废除。04年条例将技术转让协议分为竞争者之间的协议和非竞争者之间的协议，协议双方为竞争者的，各自的市场份额总额不超过20%，其行为可以得到豁免；协议双方为非竞争者的，各自的市场份额不超过30%，其行为可以得到豁免。对协议双方的市场份额超过上述标准的，应采取合理原则进行分析，判断其协议是否排除、限制了竞争，进而决定其能否得到豁免。同时，04年条例对不能豁免的条款做了列举：对于竞争者之间的协议，不能豁免的条款包括固定价格、限制产量、划分市场、限制销售对象等；对于非竞争者之间的协议，不能豁免的条款包括独占性回授、禁止对权利的有效性提出质疑、限制技术研发等。对于上述情况，无须考虑当事人的市场份额。

2. 美国。美国《克莱顿法》第3条规定：商人在其商业过程中，不管商品是否授予专利，商品是为了在美国内、准州内、哥伦比亚区及美国司法管辖权下的属地及其他地域内使用、消费或零售、出租、销售，是以承租人、买方不使用其竞争者的商品作为条件,予以固定价格,给予回扣、折扣,如果该行为实质上减少竞争或旨在形成商业垄断,是非法的。

20 世纪 70 年代,美国联邦司法部对知识产权许可行为的审查是以“九不”原则为基础的,即知识产权许可行为中不得有下列九种限制竞争条款,否则就按照本身违法原则适用反垄断法:(1)要求被许可人从许可人处购买与知识产权无关的材料;(2)要求被许可人向许可人转让许可协议生效后取得的所有专利;(3)限制知识产权产品销售的买方;(4)限制被许可人就知识产权之外的产品或者服务的交易自由;(5)未经被许可人同意,许可人不得向其他任何人授予许可;(6)要求被许可人订立一揽子许可协议;(7)要求被许可人对所有产品的销售,包括与知识产权无关的产品销售支付转让费;(8)限制方法专利被许可人销售由这种方法生产的产品;(9)要求被许可人按照固定价格或者最低价格销售相关产品。但到了 20 世纪 80 年代以后,司法部逐渐放弃了“九不”原则,对知识产权协议主要根据合理原则,即根据协议对市场竞争的影响来判断其是否构成垄断行为。

1995 年美国司法部和联邦贸易委员会联合发布《知识产权许可的反托拉斯指南》。该指南包含三个基本原则:一是承认知识产权许可行为一般是有利于竞争的;二是知识产权作为垄断权本身并不能导致其权利人具有市场支配地位的结论;三是在确认是否违反反托拉斯法时,将知识产权与其他财产权利同等对待。该指南指出,如果一项与知识产权有关的许可合同有可能对现有的或者潜在的商品或者服务的价格、质量、数量、多样性产生不利影响,就存在是否违反反垄断法的问题,会受到美国反托拉斯部门的关注。该指南还指明了反托拉斯部门在运用合理分析原则对知识产权许可合同进行分析、评估时的一般原则。

3. 日本、韩国。日本和韩国反垄断法均规定,该法不适用于被依法认为是行使著作权法、商标法、专利法、实用新型法、外观设计法所规定的权利的行为,即知识产权权利人不“依法”行使其权利,仍然要受到反垄断法的约束。

1989 年日本公正交易委员会颁布了《关于管制专利和技术秘密许可协议中的不公正交易方法的指导方针》,将许可协议中的限制性条款分为豁免适用反垄断法的条款、不能豁免适用反垄断法的条款以及需要根据合理分析原则进行判断是否适用反垄断法的条款。1999 年日本公正交易委员会颁布了新的《关于管制专利和技术秘密许可协议中的不公正交易方法的指导方针》,其将许可协议中的限制性条款分为四类:(1)关于许可范围的限制;(2)关于许可协议附随的限制和义务;(3)关于制造专利产品的限制和义务;(4)关于专利产品销售的限制和义务。新指导方针指出,许可人限制被许可人产品的转售价格或销售价格,原则上属于不公正交易方法,受反垄断法调整;专利许可协议中的其他限制不属于专利权人依专利法的规定行使权利,将依照其对市场竞争的影响程度个案确定是否违反反垄断法。对技术秘密许可协议中的限制,同样将依照其对市场竞争的影响程度个案确定是否违反反垄断法。

4. 德国。德国《反对限制竞争法》第 17 条规定,有关转让或许可已经授予的或已经申请的专利或者实用新型、半导体拓普图形或者植物品种保护权的合同,如规定取得人或被许可人在商业交易中必须遵循超出工业产权的内容的限制,则该合同是被禁止的;有关行使该项保护权的形式、范围、技术适用领域、数量、地域或时间等方面的限制，不得超出该项保护权的内容。同时该法第30条规定，该法关于横向垄断协议（卡特尔）和纵向垄断协议的规定，不适用于设立受《关于行使著作权及邻接权的法律》监督的著作权保护协会，不适用于此类著作权保护协会订立的合同和做出的决议，但以该类合同或决议为行使《关于行使著作权及邻接权的法律》规定的著作权及邻接权所必需，而且已经向监督机关申报为限。

5. 我国台湾地区。我国台湾地区"公平交易法"第45条规定，依照著作权法、商标法、专利法行使权利的正当行为，不适用该法的规定。同时，2001年我国台湾地区"公平交易委员会"制定了"审理技术授权协议案件处理原则"。参考欧盟96年条例的规定，将技术授权协议内容区分为不违反公平交易法、违反公平交易法和可能违反公平交易法三种类型；同时，为防止挂一漏万，明确对不属于该原则所列举的技术授权协议，仍然可以按照公平交易法的相关规定，个案判断其是否违反公平交易法。

战后日本的产业政策与反垄断法

第二次世界大战后，美国占领军对日本进行了经济民主化改革，打破战时的垄断体制，解散财阀，并于 1947 年制定了《禁止私人垄断及确保公平交易法》(以下称日本反垄断法)，以推进竞争体制的形成。当时日本国内几乎不存在“反对垄断、促进竞争”的思想土壤，倾向性观点认为企业的规模化和垄断化有利于技术开发、提高效率和增强国际竞争力；反垄断法是美国强加于日本的，不符合日本的国情。因此反垄断法曾一度被“搁置”。综观战后日本经济发展的进程，以保护和扶持相关产业为目的的限制竞争的产业政策和与维护、促进市场竞争为目的的反垄断政策，在经济发展的不同阶段，发挥了不同作用。

一、战后复兴期

战后日本政府的当务之急是通过对物资和物价的调控来完成经济复兴。为了避免相关措施与反垄断法产生冲突，日本以反垄断法第 22 条关于“反垄断法不适用于经营者或经营者团体依据特别法进行的正当行为”的规定为依据，于 1947 年 11 月制定了《关于〈禁止私人垄断及确保公平交易法〉的适用除外的法律》(以下称《适用除外法》)。

1950 年朝鲜战争的爆发给日本带来了“特需景气”,但随着战争的结束,日本经济陷入了严重的生产过剩,经济持续萧条时期。日本政府一方面通过行政手段对产业界实行“劝告操短”(以制裁为背景劝告产业界缩减生产),另一方面制定了《出口贸易法》和《关于稳定特定中小企业的临时措施法》,允许出口卡特尔和中小企业卡特尔,以克服因生产过剩而引起的过度竞争问题。1952 年 4 月,美军结束对日本的占领,使日本具备了修改反垄断法的条件。

1953 年,日本对反垄断法进行了大规模修改,主要内容是:取消了对卡特尔行为的禁止性规定,规定了不景气卡特尔、合理化卡特尔的适用除外,对卡特尔的规制从本身违法原则转向合理化分析原则。此外,在许多单行法中规定了对反垄断法的适用除外制度。

二、经济高速增长期

1956 年日本的国民生产总值恢复到了战前水平,经济复兴任务结束,开始进入高速增长期。1968 年,日本国民生产总值居资本主义国家第二位,成为经济大国。该阶段日本产业政策的指导思想是“新产业秩序论”,其针对日本产业组织当时存在的“规模过小”以及由此带来的“过度竞争”问题,提出的解决方案是:进行产业重组,促进大型企业合并;建立“官民协调体制”,使政府对原本应由市场决定的生产量、价格等进行干预。此外,通商产业省还通过税收、补助金和低息融资等措施对国内主要产业进行扶持,使企业积极投资设备,增强国际竞争力。有学者认为，日本战后经济高速增长期，也是反垄断法的休眠期，产业政策在经济运行中发挥了重要作用。

另一方面，政府的扶持措施为相关产业和企业补充养分的同时，也激化了竞争，日本经济开始向竞争性经济发展。同时，随着消费者权益受到侵害事件的不断发生，人们开始认识到反垄断法在保护消费者方面所具有的作用。

三、石油危机后

1973 年第一次石油危机后，日本对石油依存度很高的产业失去了竞争力，成为结构性萧条行业。这个时期的产业政策加强了对结构性萧条行业的倾斜，出台了以《特定萧条产业稳定临时措施法》为首的一系列对策立法，但从立法协调过程中可以看到，反垄断政策比以前受到重视。特别是受石油危机影响，日本物价飞涨，卡特尔盛行，公正交易委员会于 1974 年首次对卡特尔行为当事人进行刑事控告，震动了整个产业界，人们意识到卡特尔行为可能构成犯罪。1977 年，日本对反垄断法进行了强化修改，新增了对垄断状态的措施、课征金制度、价格上调的报告制度，强化了对企业支配力的管制及罚则等方面的规定。这表明日本开始重视反垄断法。此后，反垄断法开始真正发挥作用。

四、20 世纪 90 年代以后

日本成为发达国家后，与欧美各国的经济摩擦愈演愈烈。以美国为首的一些国家对日本的产业政策进行了严厉的批评，要求其改变市场的封闭性和助长这种封闭性的产业政策。另一方面，随着日本国内经济的发展和国民意识的变化，日本政府也进一步认识到反垄断法在规范市场竞争秩序方面的作用。进入20世纪90年代,根据经济发展的需要,日本对反垄断法进行了频繁修改:1991年提高了课征金的比率;1992年提高了对法人的罚金上限,强化了刑事控告制度;1997年废止了20部单行法中涉及的35种卡特尔行为对反垄断法的适用除外制度;1999年废除了《适用除外法》及与该法相联系的反垄断法第22条的规定,废除了反垄断法第24条规定的不景气卡特尔和合理化卡特尔适用除外制度;针对日本自然垄断行业已实行民营化,2000年废除了反垄断法第21条关于自然垄断行业的固有行为不适用反垄断法的规定。

目前日本关于反垄断法的适用除外,一方面是在反垄断法中做了规定,主要是第21条关于依法行使知识产权的行为,第22条关于依法设立的协作团体的行为(不包括使用不公正的交易方法,或者不正当地提高价格限制竞争行为),第23条关于依法确定、维持公正交易委员会指定商品转售价格的行为,依法确定、维持著作物的转售价格的行为;另一方面是在14个单行法中做了规定,如保险行业法、航空法、海上运输法、道路交通法、进出口贸易法,主要涉及价格、数量或销售方法等的卡特尔行为。对这些卡特尔的适用除外,相应主管机关应与公正交易委员会协商或向公正交易委员会通报。

澳大利亚反垄断法律制度

2006 年 8 月 25 日,商务部在北京举办竞争政策研讨班,澳大利亚阿德莱德大学教授 Andrew Stoler(曾任美国常驻 WTO 副代表和 WTO 副总干事)、竞争与消费者委员会国际部主任 Nicholas Heys 应邀介绍了澳大利亚反垄断法律制度。现将有关内容简介如下:

一、澳大利亚反垄断立法概况

第二次世界大战后,澳大利亚经济得到了迅猛发展。在仿效美国反垄断法的基础上,澳大利亚于 1974 年制定了《商业行为法》,目的是通过促进竞争和公平交易以及保护消费者,提高人民的生活水平。《商业行为法》内容丰富,涉及经济生活的各个方面,共 12 章 173 条,包括:竞争与消费者委员会、行业准入、限制竞争的行为、消费者保护、执行与救济、限制竞争行为的申报与豁免、限制转售价格、复议、国际货物运输、过渡期内的规定等内容。该法集反垄断法、反不正当竞争法、消费者权益保护法于一身,形成了澳大利亚特有的竞争法模式。澳大利亚竞争与消费者委员会的官员认为,该国竞争法模式的特点是:在反垄断方面，全面禁止各种限制竞争行为，同时辅之以适当的公共利益豁免；在反不正当竞争和消费者保护方面，全面禁止误导消费者和欺诈等行为。

自 1974 年以来，澳大利亚议会通过修正案和其他单项立法对《商业行为法》进行了 55 次修改，最新一次修订是 2006 年 8 月 22 日；但《商业行为法》的结构和内容没有根本变化，仍是澳大利亚竞争法体系的主干。近年来，随着自然垄断行业的放松管制，澳大利亚出台了一系列行业改革和监管的法律，如 1983 年《价格监管法》、1988 年《劳资关系法》、1989 年《邮政法》、1992 年《广播电视服务法》、1997 年《电信法》、2006 年《能源法》，与《商业行为法》共同构成澳大利亚的竞争法体系。同时，澳大利亚是一个联邦制国家，各州也有立法权，如新南威尔士州议会 1987 年颁布实施了《公平交易法》。因此，各州的反垄断立法也是澳大利亚竞争法体系的一个重要组成部分。

二、澳大利亚《商业行为法》有关反垄断的主要内容

1. 禁止限制竞争的协议。该法规定限制竞争的协议包括三种形式：一是固定价格，即通过协议确定统一的价格，其表现形式多为“建议价格”；二是直接限制，即经营者之间通过协议商定对某一或某些供应商或客户实行限制；三是间接限制，即一方与另一方共谋限制第三方从事向他人提供商品或服务、从他人处获得商品或服务以及从事进出口贸易的商业活动。对违法者澳大利亚竞争与消费者委员会可以向联邦法院起诉，并要求法院处以 75 万至 1000 万澳元（针对企业）或 50 万澳元以下（针对个人）的罚款。限制竞争的协议如果有利于社会公共利益，经当事

人申请,竞争与消费者委员会可以给予豁免。

2. 禁止滥用市场支配地位。滥用市场支配地位是指拥有市场支配地位的经营者从事下列行为:排除或实质性损害竞争对手,妨碍他人进入特定市场,阻止或妨碍他人在特定市场开展竞争活动。滥用市场支配地位的前提是经营者在某一特定市场中拥有市场支配地位。市场支配地位由法院根据每个案件的具体情况逐一认定。法院的认定标准一般有三个:一是市场份额;二是市场进入难易程度;三是在上述市场状况下,经营者不受竞争对手或潜在的竞争对手影响,自由从事经营活动能力的范围和程度。该法并不禁止经营者获得和拥有市场支配地位,但不允许拥有市场支配地位的经营者滥用其支配地位限制市场竞争。滥用市场支配地位属于本身违法行为,该法规定竞争与消费者委员会不得给予豁免。对违法者,竞争与消费者委员会可以要求联邦法院颁布禁令(停止违法行为),并处以 75 万至 1000 万澳元(针对企业)或 50 万澳元以下(针对个人)的罚款。

3. 禁止独家交易和限制转售价格。独家交易是指经营者强迫其交易对象接受不合理的交易条件,限制其自由选择的权利,从而在特定市场中实质性损害竞争的行为。不合理交易条件包括:要求交易对象不得从经营者竞争对手处获得商品或服务;限制交易对象在特定市场向特定第三方转售商品或服务。《商业行为法》禁止独家交易,但允许有独家交易行为的经营者按程序向竞争与消费者委员会申报,申请豁免。限制转售价格是指制造商、供应商、批发商为转售其商品规定一个最低价格,转售商不得低于该价格出售该商品。限制转售价格的方式主要有以下几种:与转售商达成协议商定最低转售价格;为转售商规定最低转售价格；给予转售商一些特殊优惠，诱导转售商不打折销售；以不再供货相威胁，迫使转售商接受最低转售价格。《商业行为法》禁止最低转售价格，但建议转售价格（该价格不具有约束力）和最高转售价格（转售价格不得高于该价格）不在禁止之列。此外，供应商对于连续12个月以低于成本的价格销售其产品的转售商，可以拒绝供货。

4. 禁止限制竞争的企业并购。一个法人或自然人直接或间接获得另一法人或自然人的财产，不得产生减少或可能减少市场竞争的效果，否则该行为将被禁止。评价并购行为是否产生或可能产生减少市场竞争的效果，应当考虑以下一些因素：在特定市场中，现实的和潜在的国际竞争；进入特定市场的难易程度；特定市场的市场集中度；特定市场中企业间相互制衡的力量；并购后存续企业提高价格的可能性；在特定市场中获得替代产品的难易程度；特定市场的活力，包括增长力、创新力和产品的多样化；并购对市场活力和竞争效果可能造成的削弱；特定市场纵向结合的性质和程度。根据《商业行为法》，企业并购的申报是自愿的。并购参与方如果担心并购可能违反《商业行为法》，可以向竞争与消费者委员会申报，要求其批准（包括豁免在内）。竞争与消费者委员会在收到申报30天内做出是否批准的决定。对于疑难复杂案件，竞争与消费者委员会可将审查期延长至45天。竞争与消费者委员会如果在上述期限内没有做出决定，则视为默认同意。

三、澳大利亚反垄断执法机构及体系

澳大利亚反垄断执法机构包括竞争与消费者委员会、国家竞争理事会、竞争仲裁庭、联邦法院和财政经济部；其中竞争与消费者委员会行使执法权，国家竞争理事会提供竞争政策咨询，竞争仲裁庭进行复议，联邦法院做出判决，财政经济部制定竞争政策、修订竞争法律。

反垄断执法机构虽隶属政府部门，但在执法上是独立的，不受任何部门的干预。反垄断机构的执法权限主要是形式调查权和起诉权，处罚权则由法院通过判决行使。政府部门制定竞争政策，通过议会立法，使之成为法律。这样一种架构，使立法、执法、司法相互分开，既相互制约又相互配合，从而保证了反垄断法的有效实施，形成了比较完善的澳大利亚的反垄断执法体系。

1．竞争与消费者委员会。根据澳大利亚《商业行为法》，竞争与消费者委员会是联邦竞争执法机关，负责《商业行为法》和《价格监控法》的实施。其主要职责是：促进市场的有效竞争；建立信息公开的市场，促进公平交易；推动市场中的价格竞争，抑制价格上涨；向社会公众公布《商业行为法》和《价格监控法》的执行情况，宣传这两部法律，使经营者和消费者知晓这两部法律对其日常生活和经营活动的影响。根据《商业行为法》，竞争与消费者委员会行使下列职权：收集市场信息，受理并调查经营者、消费者的投诉；审查企业购并申报，做出批准或不批准决定；审查经营者对其限制竞争行为的豁免申请，做出给予豁免或不予豁免决定；向联邦法院起诉从事限制竞争行为的经营者，诉请法院给予处罚。

竞争与消费者委员会虽然在行政序列和经费来源上隶属于财政经济部，但它是依《商业行为法》设立的机构，独立行使执法权。委员会由主席一名，委员若干名组成。主席和委员由财政经济部长在征得联邦各州同意的基础上提名，总督任命。委员中至少有一人具备消费者保护方面的知识和经验。主席和委员任期五年，可以连任。委员会以投票方式集体做出决定。委员会会议由主席召集并主持，会议法定人数为三名以上委员出席（包括主席、副主席在内），所有决定都以出席会议的委员多数同意做出，当同意和反对票数相等时，主席拥有最终决定权。委员会设秘书长，领导业务处室，开展日常工作。秘书长（含秘书长）以下职位，均为公务员，没有任期，终身任职直至退休。委员会在堪培拉、墨尔本、悉尼设有三个全国性办公室，在各州设有地区办公室。委员会共有 500 名公务员，其中 350 人是调查官，大多是律师、经济师。由于委员会没有行政处罚权，因此主要工作方式是调查官进行调查取证，然后将违法者诉诸法院，由法院决定处罚。

2. 国家竞争理事会。该理事会是根据《商业行为法》设立的竞争政策咨询机构，其主要职责是：就行业准入、自然垄断行业放松管制、价格监控等问题向政府提供政策建议。理事会由一名理事长和四名以上理事组成。理事长和理事由财政经济部长在征得联邦各州同意的基础上提名，总督任命。理事会在行政序列和经费来源上同样隶属于财政经济部，但独立行使咨询权。

3. 竞争仲裁庭。该庭是根据《商业行为法》设立的独立的复议机构，负责对竞争与消费者委员会所做决定的复议。如果当事人不服竞争与消费者委员会有关限制竞争行为豁免和企业并购批准的决定，可以向竞争仲裁庭申请复议。竞争仲裁庭由一名联邦法院法官主持，其裁定是终局的。

4. 联邦法院。联邦法院行使对限制竞争行为的处罚权。竞争与消费者委员会完成调查取证工作后,无权对违法者实施惩罚措施,须依法将违法者诉诸联邦法院,由法院决定是否有违法行为,如果有应如何处罚。联邦法院可根据情节判令违法者停止违法行为,并处以75万至1000万澳元(针对企业)或50万澳元以下(针对个人)的罚款。

5. 财政经济部。财政经济部负责竞争政策的制定和竞争法律的修订。《商业行为法》的历次修改,都是由财政经济部准备草案,经内阁批准后,交议会审议通过。